W9-DEU-826

<u>Elogios para</u>
¡Saca a relucir lo mejor en los demás!

"He puesto en práctica estas tres claves desde que las aprendí de Tom en un seminario, y su uso siempre me ha ayudado a incrementar la productividad. ¡Siempre!".

RICK ERICKSON, CLU
DIRECTOR EJECUTIVO DE PRINCIPAL FINANCIAL GROUP
GLENDALE, CALIFORNIA

"Se recomienda la lectura de este libro para quienes tienen la tarea de educar, ¡desde padres hasta directores escolares! Las tres claves ayudan a crear un entorno que ayuda a los niños a prosperar".

ASHLEY SMITH, JR.
ESCUELA SECUNDARIA DE CLEVELAND, CLEVELAND, TENNESSEE
DIRECTOR DE SECUNDARIA DE TENNESSEE

"El éxito de cualquier organización depende de los esfuerzos sobresalientes de su personal. *¡Saca a relucir lo mejor en los demás!* suministra lecciones de aprendizaje que contribuyen a dinamizar los diferentes equipos de trabajo en la organización".

J. W. MARRIOTT, JR.
PRESIDENTE Y DIRECTOR
MARRIOT INTERNATIONAL

"Si de alguna manera usted tiene que tratar con niños —como padre, entrenador, profesor, o mentor— lea este libro, y aplique las tres claves. Son prácticas y funcionan".

GRETA WILLIAMS
DIRECTORA EJECUTIVA
BIG BROTHERS BIG SISTERS, COMUNIDAD
DEDICADA A LA ATENCIÓN DE NIÑOS
KALAMAZOO, MICHIGAN

"Estas tres claves son un plan de acción para mantener un alto desempeño en equipos de trabajo durante cualquier tipo de economía".

"Este es un libro que deberían leer todos los directores escolares, profesores y padres. Poner en práctica las tres claves produce resultados medibles en un corto lapso de tiempo. ¡Es una herramienta de valor incalculable!".

"Abrumadoramente poderoso. Este libro presenta una forma práctica y directa de promover y desarrollar el máximo desempeño en otros. Léalo y ponga hoy mismo en práctica las tres claves".

"Este es un enfoque con mucho sentido común hacia el desarrollo del pensamiento. Léalo e incremente sus probabilidades de éxito como entrenador".

"Si usted quiere aumentar sus negocios entonces necesita leer este libro de inmediato y poner las tres claves a trabajar".

"Desde profesores hasta consejeros, desde consultores corporativos hasta catedráticos, *¡Saca a relucir lo mejor en los demás!* es un libro de lectura obligada. Todos los niños pueden alcanzar logros, cuando estas tres claves se aplican con ellos, de forma balanceada".

SUSAN L. GUTIÉRREZ
ESCUELA SECUNDARIA DE FOREST HILLS, GRAND RAPIDS, MICHIGAN
GALARDONADA COMO "PROFESORA DEL AÑO" EN MICHIGAN

"Este es un libro fácil de leer y cuyo contenido está lleno de consejos prácticos e impactantes para quienes tienen una posición de liderazgo. Las tres claves son particularmente útiles como guía para mejorar el desempeño".

PHYLLIS FREYER
VICEPRESIDENTE SENIOR
LOVELACE HEALTH SYSTEMS
ALBUQUERQUE, NUEVO MÉXICO

"Este libro contiene información presentada en un formato fácil de leer. El diseño de lecciones cortas es ideal. Léalo, utilice las claves y vea cómo su productividad aumenta".

JULIE SCOFIELD
DIRECTORA EJECUTIVA
SMALLER BUSINESS ASSOCIATION DE NUEVA INGLATERRA

"Contenido sólido. Bien escrito. Práctico. ¿Qué más puede pedir usted de un libro? Léalo hoy mismo".

RANDY BURNS
VICEPRESIDENTE SENIOR DE ADVEST, INC.
HARTFORD, CONNECTICUT

"Este es un libro fácil de leer y es ideal para incidir en el desempeño de los estudiantes de forma directa y positiva".

DAVID W. MCKAY
ESCUELA SECUNDARIA DE ABERDEEN, ABERDEEN, WASHINGTON
GALARDONADO COMO "PROFESOR DEL AÑO" EN WASHINGTON

"Cualquier persona interesada en motivar a otros debería leer este libro. ¡Es lo mejor de Tom Connellan!".

"Si de alguna manera, usted está relacionado con los niños —como padre, abuelo, entrenador, profesor o mentor—, necesita leer este libro y poner en práctica las tres claves que aquí se presentan".

"Es sorprendente la manera como este libro relaciona conceptos concernientes a los negocios, el hecho de ser padres y la enseñanza, todo ello de una forma útil tanto para el trabajo, como para el hogar y la vida".

"Un libro único. Escrito con claridad y pericia. Tom enseña tres conceptos simples que lo cambiarán a usted y a su organización, para lograr los mejores resultados".

"Si usted quiere construir un negocio exitoso, este es un libro obligatorio tanto para usted como para los miembros clave de su equipo".

¡Saca
a relucir lo mejor en los
demás!

3 CLAVES PARA EMPRESARIOS,
LÍDERES, ENTRENADORES Y PADRES

THOMAS K. CONNELLAN

TALLER DEL ÉXITO

CONTENIDO

CAPÍTULO UNO

LA SITUACIÓN

¿Por qué la gente que es buena, no alcanza a desarrollar plenamente su potencial?

Es el 14 de octubre y son las 8:30 de la mañana. En un pequeño salón de conferencias cuatro hombres y dos mujeres están sentados alrededor de una mesa de juntas. Tony Russo, el hombre que la preside, sonríe y empieza a hablar. "Este es el simulacro", dice. "Cada uno de ustedes vino aquí para resolver un problema que está teniendo con alguien que presenta un desempeño por debajo de lo esperado. Hoy nos ocuparemos de estos problemas y aplicaremos algunas técnicas demostradas que resultarán útiles para resolverlos. A medida que avancemos, les daré unas pautas para que diseñen un plan de acción que les de la posibilidad de mejorar tal desempeño bajo.

Durante los próximos noventa días ustedes van a aplicar estas técnicas. Después, nos reuniremos una vez más para intercambiar experiencias y ver cómo les fue. He conducido cientos de estos programas, así que estoy seguro que la mayoría de ustedes —probablemente todos— tendrán historias exitosas para contar. Algunos encontrarán otras formas de utilizar estas herramientas para atender asuntos diferentes a los que vinieron a resolver. Sin embargo, por ahora nos concentraremos en la razón por la cual estamos aquí.

Cada uno me envió su breve descripción personal junto con la información del problema que está enfrentando en su trabajo, en su hogar o en otras situaciones. También estoy algo familiarizado con ustedes ya que hemos tenido la oportunidad de conversar individualmente, ya sea en persona o por teléfono. De igual manera, les he dado una lista de instrucciones respecto a confidencialidad, privacidad, uso de teléfonos celulares y asuntos similares, de modo que asumo que todos saben las reglas respecto a estos asuntos.

Ahora bien, para empezar esta dinámica, me gustaría que compartieran, tanto conmigo como con todos los que estamos aquí, algún tipo de problema que hayan tenido que enfrentar. Describan cómo manejan al grupo en medio de la situación. Puede tratarse de algo relacionado con conseguir que los empleados tengan un buen desempeño, o con lograr el apoyo de los miembros del comité, o con dificultades con los hijos —cualquier situación en la cual las personas no se comporten como ustedes esperan que lo hagan.

Inicien presentándose al grupo, luego infórmennos la posición que ocupan, las implicaciones de su cargo, a quiénes involucra, y cosas por el estilo. Asegúrense que su participación no tome más de un minuto. Más tarde, tendremos oportunidad de hablar sobre nuestros asuntos con más detalle.

¿Quién quisiera comenzar? Bien, iniciemos contigo, Mary, dinos lo que haces y el asunto que te gustaría resolver. "Tú eres gerente de ventas, ¿verdad?".

Mary asiente con la cabeza. "Sí, mi nombre es Mary Steena, y soy gerente nacional de ventas para Caribou Creek. Distribuimos comida gourmet a través de varios canales. Estoy aquí porque me encuentro experimentando problemas con un par de mis representantes de ventas.

A decir verdad, debería ser más específica. Los problemas que estoy teniendo con dos de mis representantes, a quienes llamaré Marvin y Pat, no son los únicos. Todos los gerentes tienen problemas constantes para lograr el máximo desempeño de sus representantes de ventas. Una buena parte de ello tiene que ver con la psicología de las ventas. Cuando todo va bien, todo sale bien, y cuando no, no. La gente se siente motivada cuando todo marcha apropiadamente; no obstante, no se sienten tan motivados cuando no se logran buenas ventas.

Sin embargo, Marvin es un caso especial, y eso es lo que me molesta tanto. Cuando logra conectarse no hay nadie mejor que él en las ventas. El problema es que la mayor parte del tiempo él mismo no se motiva. Y eso, no sólo afecta sus ventas, sino al total de ellas, ya que el resto del equipo comercial sabe lo buen vendedor que él es y lo ponen como el ejemplo al cual seguir.

Lo que yo hago es llevármelo aparte para tener una conversación franca y abierta con él, y entonces se va y cumple con su cuota por una semana o dos; pero luego, vuelve a perder el ritmo; después, una nueva charla, y una vez más vuelve a batir récords, pero el punto es que su entusiasmo nunca dura más que un corto período de tiempo.

Pat es otra historia. Solía ser bueno, casi tanto como Marvin, pero durante el último año sus resultados van en picada. Pat tiene las habilidades y la experiencia para ser un representante de ventas de primera, sin embargo, no logra los resultados esperados. Yo le hablo y su desempeño mejora algo, pero no tanto como debería. Y luego, vuelve atrás, de la misma manera como sucede con Marvin, sólo que cada vez va más atrás de donde estuvo la última vez. De nuevo, hablamos y mejora, pero nuevamente vuelve a retroceder. Y así tiene esos altibajos como sucede con Marvin, sólo que cada retroceso lo lleva a una condición de menor desempeño que la anterior.

Fui a donde nuestro vicepresidente de ventas y mercadeo y le dije que no sabía qué otra cosa hacer para impedir que Pat retrocediera progresivamente, y que los altibajos de Marvin estaban afectando a todo nuestro personal de ventas. Entonces me envió aquí".

"Gracias Mary por tu introducción. Permíteme preguntarte algo. ¿En dónde percibes que radica el problema? ¿Está sucediendo algo con Marvin y Pat que desconozcas, o hay algo que sea incambiable? ¿Consideras que el problema radica en alguna causa ajena a ellos, algo que tenga que ver con su interacción con la compañía?".

"No lo sé, Tony. Ellos nunca se quejan conmigo respecto a algún asunto, y cuando les hablo sobre su desempeño, no culpan a nadie, sólo al mercado, a la competencia, o a los precios. Si están experimentando algún problema en su hogar, nunca me entero de ello".

"Muy bien", agregó Tony. "Sé que no podemos contestar esta pregunta de forma categórica, y su respuesta, sea cual sea, sólo apunta a una parte de la solución. La he hecho porque es importante cuestionarnos aun cuando no podamos contestarlo todo. Estas son sólo algunas de las preguntas que necesitamos tener en mente, y a veces, parte de la solución consiste en enviar a alguien a Recursos Humanos; o en el caso de los niños, probablemente se trate de alguna situación clínica y a lo mejor se requiera de ayuda profesional.

Pero les diré esto: hemos tenido en este programa a varios gerentes de ventas, por lo menos a unos 200 durante los últimos cinco años, y nuestros resultados han sido excelentes, como lo podrán evidenciar.

Escuchemos a nuestro siguiente participante cuyo trabajo consiste en hacer muchas preguntas —profesor Mike, ¿por qué estás aquí?".

Mike, quien estaba reclinado en su silla, recupera su compostura y dice: "No es justo, no había levantado mi mano". Esto produce risas entre los asistentes.

Tony contestó: "Considera esto como un examen sorpresa", lo que produce más risas. "Creo que en tu carta explicativa mencionas que estás preocupado por algunos de tus estudiantes más destacados".

"Así es, pero supongo que debería decir que estoy preocupado por todos mis estudiantes. A pesar que enseño en el quinto año, intento seguir el rastro de ellos hasta el final y puedo ver que muchos de estos jóvenes van al mundo sin lograr descubrir su verdadero potencial, y sin tener las herramientas, ni habilidades, ni recursos para desarrollarlo. Como educador, considero que esto representa el desperdicio de un recurso valioso. Y, a propósito, mi nombre es Mike Gwinn, y trabajo como maestro aquí en Chatham.

Mary nos habló acerca de Marvin. Bien, yo a veces me siento como si tuviera un salón de clases lleno de Marvins. Algunos de mis estudiantes son genios, otros son del tipo que se mantiene al margen y que intenta dar lo mejor para mantenerse, pero la mayoría son chicos con un rendimiento promedio, a quienes no les interesa mucho el mundo exterior más allá de su círculo inmediato de amigos. No tienen idea de lo que son capaces de lograr y de lo que sus talentos no cultivados pudieran representar para ellos y para el mundo.

Yo escogí la docencia porque pensé que era una buena manera de hacer que el mundo fuera mejor. Sin embargo, me he desanimado al ver lo difícil que es tratar con este problema; supongo que todavía soy bastante idealista al pensar que puedo hacer la diferencia. Si al terminar este programa logro salir con tan sólo una buena idea, consideraría que ha valido la pena el esfuerzo".

Tony dijo: "Bien, Mike, creo que obtendrás más de una buena idea durante el tiempo que pases aquí. Y antes que termine este ejercicio, sabremos sobre las

> "Si al terminar este programa logro salir con tan sólo una buena idea, consideraría que ha valido la pena el esfuerzo".

ideas que aprendieron y lo útiles que les fueron para ayudarles en su situación, porque a medida que avancemos en nuestro camino, vamos a aplicar lo que aprendamos. Les daré algunas herramientas para trabajar, así como directrices que deberán poner por obra. Después, cuando hayan tenido la oportunidad de utilizarlas, nos reuniremos una vez más para enterarnos de los resultados.

Como lo han mencionado, no es común tener a un profesor en un grupo de personas de negocios, pero no es nuestra primera vez. En el pasado ya hemos trabajado con educadores, y en la mayoría de los casos hemos logrado aumentar los resultados de las pruebas entre el 5% y el 10% en promedio. Nada mal, ¿verdad?

Ahora que hemos escuchado las inquietudes de Mike como profesor, demos un vistazo a un tema similar desde el otro lado de la moneda. Creo que Lloyd Magnusson participa en este programa como padre de familia. A él le preocupa el hecho de que a su hija no le está yendo muy bien en sus estudios, "¿no es cierto Lloyd?".

Lloyd concuerda, "Lori representa una gran preocupación para mi esposa y para mí. A ella le iba bien en sus exámenes escolares, y solía estar entre las mejores estudiantes de la escuela. Pero ahora, parece haber perdido interés por aprender. La mayoría de las veces obtiene C y D como calificación, y muy ocasionalmente A o B. Nosotros no logramos sacarla de ese estado. A veces ni siquiera logramos hacer que ella se comunique con nosotros. Cuando logramos motivarla, mejoran sus calificaciones en la escuela, pero al poco tiempo, vuelve a decaer".

"¿Qué edad tiene ella?"

"Ella tiene catorce años".

"Ya veo". Dijo Tony. "¿Han considerado que esto se deba a la rebelión normal que ocurre en la adolescencia, o piensan que se deba a algo más?".

"Yo no pienso que se deba a ello, a pesar que hay algo de rebelión. Cuando ella cae en ese estado y se cierra ante nosotros, es más como si estuviera desilusionada de sí misma de no lograr cosas mejores. A veces ella se muestra aplicada, y parece sentirse bien cuando consigue buenos resultados, como por ejemplo, cuando obtiene una B en un examen o en un ensayo. Pero entonces, pierde interés, no estudia, le va mal en otro examen y se desanima aún más. Y a continuación su alcoba alcanza un nuevo nivel de desorganización, lo cual es otro tema que estamos tratando con ella".

"Bien, Lloyd, no te garantizo que vas a resolver este problema de la noche a la mañana, pero sí te digo esto: tu situación no es única. Hemos tratado este problema antes y hemos tenido muy buenos resultados. Es bastante duro ver a tu hijo tambalear, pero debes saber que hemos visto a otros en peores condiciones, que han podido superar la situación. De modo que no te desanimes".

"Sí, ¿Janet?".

"Tony, sólo quiero que Lloyd sepa que una adolescente representa un misterio más profundo que el océano, lo cual es algo sobrecogedor. Yo lo sé porque yo también fui adolescente y porque crié a dos hijas que ya pasaron la adolescencia. Y lo hice de la forma difícil, es decir, de forma instintiva y mediante el método de ensayo y error, lo que a veces significa simplemente esperar. Pero de lo que he escuchado, Lloyd, pienso que este programa te ayudará a entender y a tratar la situación de una forma más rápida que en la mía, y probablemente de una mejor manera".

Tony dijo "Gracias, Janet. Tienes razón. Les sorprenderá saber que muchos gerentes corporativos me han abordado después de una de estas sesiones y me han dicho: 'Tony, esto es realmente muy bueno. ¡Me hubiera gustado haberlo sabido cuando estaba criando a mis hijos!'"

"Pero esa no es la razón por la cual estás aquí hoy, ¿no es así?"

"Así es". Concuerda Janet. "Soy Janet Patterson, y estoy aquí porque estoy preocupada por mi grupo de adultos. Soy enfermera jefe en el hospital Saint Joseph´s. Somos una entidad comunitaria, y estoy bien familiarizada con las situaciones difíciles que soporta

mi personal, es decir, circunstancias de vida o muerte, trabas burocráticas, poco presupuesto, demasiados pacientes, sobrecarga laboral, el trabajo en sí. Todo ello llega a volverse muy estresante para el
grupo. Las enfermeras sometidas a estrés a veces no logran trabajar
en equipo. Dejan de ayudarse y cooperar entre sí. No comparten
información útil con el turno siguiente. Su actitud se torna en: 'Mi
turno ya acabó, ha sido un mal día, me largo de aquí'. "Ellas son buenas personas. Tienen la capacidad de hacer cosas maravillosas por
sus pacientes, y esto a pesar de las circunstancias que tienen en su
contra. Pero cuando el trabajo en equipo no funciona, ello complica
las cosas aún más. Desearía hallar la forma de comunicarme mejor
con ellas, encontrar la manera de motivarlas de modo que quieran
hacer ese esfuerzo extra que ahorraría mucho tiempo y esfuerzo a
los demás.

Algunas siempre trabajan bien en equipo, y a veces logro que
todo el grupo funcione en armonía una parte del tiempo. Pero lo
que yo deseo es que todas trabajen en unidad constante haciendo su
mejor esfuerzo".

"Gracias Janet. Creo que pronto tendremos la oportunidad de
descubrir maneras de sacar a relucir lo mejor en tu grupo de enfermeras. Tú has utilizado la expresión "trabajo en equipo" y ello
es significativo, ya que hemos logrado bastante éxito mejorando la
cooperación de equipos de trabajo en varios ámbitos distintos. El
trabajo en equipo tiene un efecto de sinergia: las mejoras pequeñas
en los equipos de trabajo, producen grandes mejoras en los resultados globales.

"Bien Carlos, es tu turno. ¿Quieres contarnos tu historia?".

"Por supuesto", dijo Carlos. "Mi nombre es Carlos Navarro, y soy
el presidente de Arbor Paper Products aquí en Chatham. Produci-
mos artículos sensibles a la presión, como etiquetas autoadhesivas,
etiquetas de productos y etiquetas postales. Hay excelentes razones
para que los usuarios utilicen los productos que fabricamos.

"Nuestra planta logra buenos resultados. Con todo, no hemos logrado desarrollar todo nuestro potencial. El volumen de producción es bueno, y la calidad del producto también; sin embargo, la planta nunca ha logrado operar al máximo del potencial para la cual fue diseñada.

"Y aun cuando los miembros de nuestro personal creen que están dando su máximo esfuerzo, sé que todavía hay un 2% o 3% de productividad adicional que no hemos alcanzado y que parece fuera de nuestro alcance. ¿Cómo lograr alcanzar ese potencial que nos hace falta?

Mis empleados son buenas personas. No les puedo exigir más. Debo encontrar nuevas maneras de incentivarlos. Uno de mis colegas me dijo que este era el lugar donde yo podía obtener ese porcentaje faltante".

"Muy bien Carlos, gracias. Este programa ha sido muy exitoso respecto a aumentar la productividad empresarial en un rango amplio de industrias. Casi puedo asegurar que alcanzarás tus metas de eficiencia. Pero debo advertirte de algo —mientras más grande sea la compañía, más grande también será la tarea.

Amigos, antes de continuar, ¿alguien tiene preguntas o comentarios?"

"Sí, Tony", contestó Mary. "Al principio estaba un poco confundida respecto al porqué nuestro grupo parecía tan diverso. Conozco a Carlos desde hace algún tiempo, así que su presencia no me sorprendió. Y antes de que entraras estaba hablando con Janet, así que supe que es supervisora, al igual que yo. Pero cuando supe que Mike es profesor y luego escuché a Lloyd mencionar algo sobre su hija, por un momento me pregunté si estaba invirtiendo bien mi tiempo. Sentí preocupación sobre lo que pensé que eran asuntos no relacionados con el trabajo, como el tema de las notas o la crianza de los hijos.

Pero ahora creo que entiendo que todos tenemos algo en común. El asunto no es el trabajo. Ahora comprendo que lo que estamos haciendo es tratar con niños y con adultos, con estudiantes y con empleados, lo que tenemos en común es el aspecto del desempeño, ¿no es así? Lograr que otros tengan un mejor desempeño, o por lo menos, un desempeño más alto. El asunto tiene que ver con el comportamiento humano. Cada uno de nosotros necesita hacer que otros se comporten de forma diferente, no importa lo que sea, ventas, calidad, productividad, trabajo en equipo, calificaciones estudiantiles, o cualquier otra cosa".

"Esa es una buena deducción Mary. Y es la clave para entender los bloqueos que todos enfrentamos. En las situaciones de ustedes hay más similitudes que diferencias. Por ejemplo, piensen en los representantes de ventas, en Marvin y Pat, y en Lori, la hija de Lloyd. Cada uno de ellos parece mejorar después de una charla franca y abierta, pero el progreso dura muy poco. Esa es una similitud y todos ustedes se irán de aquí con un juego de herramientas para poder resolver el asunto de los altibajos. Es posible que utilicen herramientas similares, pero de forma diferente. Sin embargo, la habilidad a desarrollar será la misma.

> "Todo tiene que ver con el comportamiento humano".

Es lo mismo para todos los que estamos aquí. Las herramientas que ayuden a Carlos a lograr más con sus empleados, van a ayudar a Mike a lograr más con sus estudiantes. Lo que le beneficie a Janet en la forma de tratar con el asunto de la falta de trabajo en equipo en el hospital, puede ser justo lo que ayude a Carlos a mejorar la productividad en su fábrica. Y para los mismos efectos, lo mismo resultará con el pequeño equipo de fútbol que entrena.

Ahora bien, con esto no estoy intentando exagerar en la simplificación de los asuntos. Tampoco quiero dar a entender que Marvin es un niño o que las enfermeras trabajan bajo las mismas condiciones que los agentes de ventas. Pero, como lo descubrirán más adelante, las herramientas de las que estamos hablando son de carácter universal y funcionan en todos los campos porque se concentran en cambiar el comportamiento. Si las aplican correctamente, sacarán a relucir lo mejor de cualquier persona —sea que se trate del campo de los negocios, el estudio, el servicio comunitario o el hogar. Algunas de las organizaciones a las cuales ustedes pertenecen probablemente tengan programas de mentoría, o posiblemente usted o alguien que usted conozca, están haciendo trabajo de mentoría a favor de un estudiante. El proceso y las herramientas también aplican en estos casos.

Algo más. A medida que avancemos, voy a pedir a cada uno de ustedes que sea más específico respecto a los cambios que exactamente quisiera conseguir. Hablaremos de eso más tarde, pero por ahora, sólo quiero que vayan pensando en el asunto.

> "Las herramientas de las que estamos hablando son de carácter universal y funcionan en todos los campos porque se concentran en cambiar el comportamiento".

En unos pocos minutos les hablaré sobre lo que hemos aprendido respecto a las condiciones que permiten desarrollar individuos de alto desempeño. Consideraremos el tipo de circunstancias apropiadas y la forma en que estas pueden ser creadas para aprovechamiento de quienes nos interesa desarrollar.

Para la hora en la que terminemos hoy, ustedes habrán obtenido suficiente conocimiento como para ir y lograr alto desempeño en los demás, de una manera que jamás habrían imaginado. Con el tiempo, sabrán desarrollar constantemente un alto desempeño en todos quienes los rodean.

CAPÍTULO DOS

EL DESCUBRIMIENTO

¿Qué lleva al desempeño alto de forma consistente?

T ony colocó una pequeña pila de papeles sobre la mesa. Miró a las cinco personas que estaban sentadas a su alrededor. "Por favor levanten la mano. ¿Cuántos de ustedes son 'hijos únicos'?"

Mary levantó su mano.

"Bien, ahora deseo que levanten la mano quienes sean primogénitos". Tres de los presentes levantaron su mano. "Tú también Mary. Un hijo único cuenta como primogénito. Carlos, ¿qué hay de ti?". Carlos respondió, "Yo fui el segundo más joven de seis. Un hermano mayor y cuatro hermanas".

"Interesante", agregó Tony. "Cuatro de cinco. En todos los programas he considerado este asunto. El promedio ha sido alrededor del 60% de primogénitos.

Probablemente se estén preguntando por qué pregunté eso, ¿no es así? Es porque soy curioso. Las personas dicen que soy curioso". Los asistentes se rieron.

La razón de la pregunta se debe a algo que he estado investigando por cerca de 20 años. Toda mi vida he sentido fascinación por el tema de la excelencia y en mis investigaciones sobre el alto desempeño, he descubierto un patrón asombroso. Aquello comenzó cuando leí un informe que decía que el 64% de las personas que escuchaban el programa "Quién es quién" eran los hijos mayores en sus familias.

Un estudio estadístico pudiera no significar mucho, sin embargo, este me hizo preguntar: ¿puede ser el asunto así de simple? ¿Puede marcar la diferencia el hecho de ser hijo primogénito? ¿Pudiera esto ser un indicador de un alto desempeño?

Entonces empecé a consultar estadísticas sobre los primogénitos, y lo que encontré me dejó asombrado. Si están tomando notas, aquí hay unos datos para tenerlos presentes:

Hecho número uno: dos tercios de todos los empresarios son primogénitos.

Hecho número dos: de los primeros veintitrés astronautas, veintiuno de ellos eran primogénitos.

Hecho número tres: un estudio que duró 10 años y que involucró a 1.500 estudiantes de grado superior en Wisconsin, reveló que el 49% de estos eran primogénitos".

"Esa es una buena colección de datos", dijo Carlos. "Pero, ¿dónde está la relevancia? Estamos aquí porque queremos acrecentar nuestra capacidad de liderazgo, y no para aprender a reclutar primogénitos, ¿no es así?"

"Por supuesto", contestó Tony. "Lo mismo pensé yo. No obstante, así nos adelantamos a la historia. Denme un minuto y comprenderán el punto al cual quiero llegar.

Más datos: De las mujeres que llegaron a ocupar una posición de liderazgo en el mundo entre 1960 y 1999, el 45% de ellas eran primogénitas.

Los primogénitos tienen el doble de probabilidades de llegar a ser presidentes corporativos en comparación con otras personas.

El 55% de los jueces de la corte suprema han sido primogénitos.

Más de la mitad de los presidentes de los Estados Unidos han sido primogénitos.

> "Más de la mitad de los presidentes de los Estados Unidos han sido primogénitos".

Y aquí hay un hallazgo interesante. Un estudio mostró que más de la mitad de los que han sido elegidos presidentes de la Asociación Americana de Psicología, eran primogénitos. Casualmente lo mismo es cierto de los que fueron elegidos para la Academia Nacional de Ciencias, y de acuerdo a un estudio hecho en 1874, los primogénitos fueron los miembros más destacados en la distinguida Academia Científica de la Sociedad Real de Inglaterra.

Mike preguntó, "Cuando usted dice "destacados", ¿a qué porcentaje se refiere? Tal vez hayan más primogénitos de lo que la gente percibe".

"Esa es una buena pregunta, Mike. En general, el 35% de la población está compuesta por primogénitos, lo que incluye a quienes son hijos únicos. Este dato nos da una buena base para hacer el análisis. Por ejemplo, en un estudio que se condujo en la fuerza aérea, cerca del 80% de los pilotos con más logros eran primogénitos. Eso es más del doble del porcentaje si el tema de la primogenitura no hiciera la diferencia.

Y aquí hay más información: el 55% de los científicos más creativos en una importante compañía química —creativos en el sentido de que tienen un doctorado y que logran más de una nueva patente al año— son primogénitos".

Carlos se inclinó en su silla hacia delante y dijo: "Sólo por curiosidad, ¿alguna vez encuentras primogénitos entre las personas con más bajo rendimiento?"

"De hecho, sí. Por ejemplo, en el último estudio que mencioné, el de la compañía química, el 14% de los científicos 'menos creativos' —es decir, con título de doctorado y ninguna patente al año— eran primogénitos. En otras palabras, ser primogénito no representa ninguna garantía de éxito, es tan sólo un buen indicador.

Ahora bien, esto nos trae a colación el asunto que expuso Carlos hace un momento: la cuestión del liderazgo.

Este es un programa sobre liderazgo, no un programa sobre procedimientos para contratar personal. No estamos aquí para rodearnos de primogénitos y coleccionarlos en nuestro corral. Eso sería un trabajo enorme, y no valdría la pena todo el esfuerzo de hacer esa tarea, la cual, tampoco garantiza el éxito. Y puesto que no soy abogado, probablemente hasta sea ilegal.

Pero el cuestionamiento de Carlos nos lleva a otro conjunto de preguntas aún más interesantes: ¿qué hace que los primogénitos estén entre las personas con mayor desempeño? ¿Se pueden identificar factores ambientales que tiendan a conducir a mayores niveles de desempeño entre los primogénitos? ¿Es posible utilizar esos factores para formar personas con un desempeño alto o por lo menos con un mejor desempeño, es decir, un asociado, empleado, miembro de junta corporativa, o miembro de equipo de trabajo, o estudiante o hijo?

Iniciando con las personas con las que nos relacionamos, ¿cómo podemos sacar a relucir lo mejor de ellos? ¿Cómo sacar a relucir su potencial pleno? No todo el mundo consigue ser alguien excepcional, pero sí es posible que llegue a ser una mejor persona de lo que ya lo es. ¿Se puede, a través del liderazgo, conducir a otros para que lleguen a alcanzar mejores niveles de desempeño conectándolos con su potencial pleno?

Tomen nota, por favor, que yo estoy limitando esta consideración al tema de los factores ambientales y no al tema de los factores genéticos".

> "No todo el mundo consigue ser alguien excepcional, pero sí es posible que llegue a ser una mejor persona de lo que ya es".

"Sí", dijo Carlos con una amplia sonrisa. "Como hijo no primogénito yo estaba listo para argumentar en contra del tema de la Genética".

Tony y los demás se rieron. "Bien. Les alegrará saber que la única mención que voy a hacer es esta: no hay evidencia científica, ni siquiera base alguna, para argumentar que el orden del nacimiento afecta la composición genética".

"Y tú, Carlos, tienes una selecta compañía de personas destacadas que no fueron hijos primogénitos. Madame Curie, Martin Luther King, Margaret Thatcher, y Johnny Carson —todos ellos no fueron hijos primogénitos. No obstante, todavía tenemos que hacernos una pregunta: ¿por qué, cuando observamos un estudio tras otro, vemos que los primogénitos como grupo, logran mayor desempeño que los demás?

Resulta que los padres son inconscientemente brillantes al criar a sus hijos primogénitos. Existen tres maneras en las que los padres crean un entorno ligeramente diferente para sus hijos primogénitos y estos tres factores explican la diferencia en el desempeño.

Lo que cuenta no es ser primogénito. Lo que interesa es el entorno que se crea a través de la influencia de estos tres factores.

Una vez que ustedes los entiendan podrán aumentar su propio nivel de desempeño y el de quienes los rodean".

"Y, ¿cuáles son esos tres factores?", preguntó Mary.

"Son bastante sencillos. Vale la pena apuntarlos y pensar en ellos detenidamente. De hecho, pasaremos el resto del día hablando de ellos.

Primer factor. Tony se giró y escribió un número uno grande en el tablero detrás de sí, seguido por una sola palabra:

1. Expectativa

Expectativa: la gente tiene mayores expectativas con los primogénitos. Ellos van a ser los presidentes de la clase senior, los mariscales de campo, la porrista líder, el capitán del equipo. No importa en qué participen, se espera que logren la excelencia.

2. Responsabilidad

Segundo factor: a los primogénitos se les asigna mayor responsabilidad a una edad más temprana. Se les pide que cuiden a sus hermanos más pequeños. Cuando van al cine o al supermercado todos juntos, o cuando salen a la calle a buscar el coche de los helados, al mayor se le da el dinero, el teléfono celular, y las instrucciones de cómo llegar al sitio; se le indica lo que debe hacer, lo que necesita comprar y lo que debe evitar.

3. Retroalimentación

Tercer factor: los primogénitos reciben más retroalimentación. Consiguen más atención de parte de sus padres, parientes y amigos de la familia. A ellos se les toma un mayor número de fotografías. Sus padres les dedican más tiempo para enseñarles a caminar y a hablar.

Para mí, esta información resultó muy impactante. Significó que es posible identificar condiciones particulares que tienden a hacer que los primogénitos tengan mayor desempeño y mejores resultados que las personas con un desempeño promedio. Y una vez identificados estos factores, podemos examinarlos, estudiarlos y aprender de ellos. Luego, probablemente estaremos en condiciones de replicarlos en otras situaciones —el ambiente corporativo, los negocios comerciales, los salones de clase, las organizaciones comunitarias, y hasta el ámbito deportivo.

Verán, lo importante que debemos tener en mente es que estos factores no son intrínsecos a los primogénitos. Son enteramente ambientales. Y como lo mencioné hace un par de minutos, no es asunto de ser primogénitos —más bien, todo tiene que ver con la confluencia de estos tres factores, los cuales se manifiestan con más frecuencia en los individuos que son primogénitos en comparación con aquellos que no lo son. Sin embargo, cuando los hemos aplicado en varios ámbitos distintos, estos han funcionado bastante bien. Cuando hemos utilizado los tres factores con equipos de ventas, han trabajado de forma excelente. Cuando los hemos aplicado con personas que se ocupan en el sector productivo, ha ocurrido lo mismo. Y ha sido igualmente cierto en los equipos de comandos especiales y otros grupos que adelantan operaciones militares. Para resumir, en todos los sitios donde hemos utilizado estos tres factores, en todos los casos se han obtenido resultados excelentes.

El asunto es bastante sencillo —si usted es un líder, necesita creer en la gente de forma consistente. También necesita hacerlos responsables, a la vez de suministrarles un entorno de apoyo.

Y no sólo eso, sino que cuanto más investigué, más encontré que los individuos que lograron un desempe-

> "Como líder, usted necesita creer en la gente de forma consistente. También necesita hacerlos responsables, a la vez de suministrarles un entorno de apoyo".

ño más alto, no necesariamente encajaban con el patrón del 'hijo primogénito'.

Por ejemplo, hablé con un buen número de representantes de ventas con alto desempeño y también otros con bajo desempeño en compañías de distribución mayorista. Mary, sé que esto te va a interesar. En un estudio, encontré justo lo opuesto de lo que esperaba —hubo un número mayor de primogénitos entre las personas con más bajo rendimiento que entre los de mayor desempeño.

Entonces pensé, '¿qué está pasando aquí?'

Pero continué hablando con las personas. Empecé a concentrarme más en los líderes, y descubrí algo muy interesante. Los líderes de las personas con mayor desempeño estaban promoviendo los tres factores mencionados en el entorno laboral. Así es, ellos estaban propiciando aquello que les da a los primogénitos un margen de ventaja.

En otro de mis estudios a representantes de ventas, me concentré específicamente en observar cuán buenos eran los gerentes de ventas en introducir los tres factores de ventaja en el lugar de trabajo, y diseñé un test para medir los resultados. Y como era de esperarse, los gerentes con el personal de alto desempeño sumaron un 22% mayor en su habilidad de promover los tres factores en comparación con los gerentes con personal de menor desempeño.

También entrevisté a un número de presidentes corporativos que alcanzaron esa posición antes de la edad de cuarenta años. No encontré tantos primogénitos como lo esperaba, pero sí hallé otro dato significativo: dos terceras partes de ellos podían mencionar a un supervisor, gerente o mentor, en una etapa temprana de su carrera, que había creado los factores apropiados en el ambiente de trabajo.

Los efectos de la expectativa, la responsabilidad y la retroalimentación son independientes de la edad del individuo. Son factores que funcionan en el entorno laboral para mejorar el desempeño de los adultos. Janet, tú los puedes aplicar en tus tratos con tu equipo de enfermeras, con la administración, el laboratorio de patología, y otras áreas del hospital para mejorar la comunicación, la atención al detalle y la cooperación —en otras palabras, en todo lo relacionado con un equipo de trabajo. Mary, tú tienes la opción de aplicar los factores a las dificultades que estás teniendo con Marvin y con Pat, y lograr de ellos un gran desempeño, y de paso, elevar el nivel de logro del entero equipo de ventas. Carlos, tú podrás ver que la aplicación de los factores te ayudará a aumentar la producción, la calidad del producto y otros factores de rendimiento.

Y, por supuesto, para Mike y Lloyd es factible aplicar los factores con sus muchachos, quienes se encuentran en sus años formativos".

En ese momento, las dos mujeres del grupo asintieron con vacilación.

"Lo que quiero enfatizar es que no quiero que se queden en el asunto de 'la importancia de ser el primogénito'. Las estadísticas que cité son principalmente una distracción y una ilusión. Ese tema sólo suministró el contexto para introducir mi modelo de alto desempeño.

Lo que yo quiero que ustedes retengan está relacionado principalmente con la importancia del creer en otros, del hacerlos responsables y de suministrarles retroalimentación. Si ustedes se detienen por un momento y lo analizan, existen muchas fuentes potenciales para desarrollar estos tres factores.

En primer lugar el individuo es primogénito. Allí es donde comienza la ruta. Los padres, sin darse cuenta de ello, crean varias expectativas con relación a su hijo primogénito, le asignan más responsabilidad y le apoyan con mayor retroalimentación.

En segundo lugar, si hay una brecha en la edad de tres o más años, entre el primogénito y el siguiente hijo en la familia, se tienden a crear las mismas condiciones ambientales una y otra vez. ¿Recuerdan a los astronautas? Dijimos que veintiuno de veintitrés de ellos eran primogénitos. Pues bien, el veintidosavo y el veintitresavo pertenecen a esta categoría".

Carlos se sonrió y dijo, "Bien, ¡eso posiblemente lo explique! Mi hermana es cuatro años mayor que yo".

"Ese puede ser un factor". Respondió Tony. "Una vez hayamos terminado hoy —o a medida que avance el día— piensen en sus padres y en las expectativas, responsabilidad y retroalimentación que ellos creaban o les suministraban. Más importante aún, piensen en otras personas a lo largo de su vida que creyeron en ustedes, que los hicieron responsables de algo, y que les dieron retroalimentación formativa.

Esto me lleva a la tercera fuente. Los tres factores de desempeño pueden ser creados por cualquier individuo —un líder corporativo, un líder militar, un profesor, un entrenador, un mentor o cualquier otra persona. La mayor parte de mi trabajo ha sido con líderes corporativos y militares, aunque también he trabajado en menor grado con educadores, mentores y entrenadores.

> "Los líderes por naturaleza, utilizan los tres factores intuitivamente por iniciativa propia".

He descubierto que los líderes por naturaleza, utilizan los tres factores intuitivamente por su propia iniciativa. Al mismo tiempo, he observado que por lo general existe al menos un área en la que ellos pueden mejorar sus habilidades.

Lo interesante es que usualmente no implica mucho aumentar el nivel de habilidad para lograr un impacto poderoso en los resultados. Tomemos como ejemplo a un gerente de ventas que utilizaba los factores de la expectativa y la responsabilidad a un buen grado, pero que era un poco débil en el aspecto de dar retroalimentación. Luego de estimular las habilidades del individuo en el tema de la retroalimentación se observó que su equipo aumentó su productividad entre el 10% y el 20%. A mí me encantaría tomar todo el crédito por ello, pero, por supuesto, tenemos que decir que el gerente ya estaba listo en un 75% u 80%. Yo simplemente ayudé mediante centrar la atención del gerente en aquello que hacía falta en su kit de habilidades".

"¿Cómo saber dónde se presenta la deficiencia?", preguntó Mary.

"Con frecuencia hacemos encuestas con los miembros del equipo para medir el desempeño del líder. Y naturalmente, a medida que avancemos durante el día, ustedes podrán identificar áreas por incrementar en su propio set de habilidades".

A continuación, Tony se sentó sin hablar por unos pocos segundos. Observó los rostros de los que estaban sentados alrededor de la mesa. Janet todavía estaba escribiendo notas apresuradamente. Mary estaba dando golpecitos en sus dientes con el borrador del extremo de su lápiz. Carlos estaba reclinado hacia atrás con sus dedos entrelazados, inmerso en sus propios pensamientos.

"Muy bien, es muy posible que en este momento ustedes estén pensando en varias cosas. Es probable que estén pensando: 'Interesante, pero ¿cómo puedo poner esto en práctica?', o tal vez, 'Creo que estoy haciendo algo de esto en la práctica'. Posiblemente, 'Ajá —lo estoy haciendo bien en dos de los tres factores, pero no estoy tan bien en el tercero'. Lo que por lo general encuentro es que las personas ya están utilizando algo de los tres factores, pero no los han puesto juntos de forma coordinada y balanceada. Algunos exageran al asignar responsabilidad y hacen muy poco trabajo de retroalimentación. Otros, hacen lo contrario, no asignan responsabilidad pero exageran en dar apoyo. Y en otros casos, hay individuos que piensan que lo hacen muy bien en la parte de creer en su personal, pero cuando hacemos una encuesta 360, obtenemos una perspectiva completamente diferente de parte de los miembros de su equipo.

Y de seguro ustedes han utilizado los factores en las situaciones en las que han experimentado éxito.

Permítanme hacerles una pregunta: ¿qué han hecho a favor de sí mismos últimamente? Piensen en alguna meta personal que se hayan fijado, y que hayan trabajado hasta alcanzarla. Puede tratarse de aprender a utilizar un nuevo programa informático, perder peso o aprender cocina Thai".

Los ojos de Lloyd se iluminaron de inmediato.

"Sí, Lloyd".

"Hace unos años decidí que necesitaba perder peso y ponerme en forma, de modo que me fijé un programa de entrenamiento. Tú sabes, metas diarias y semanales respecto a salir a correr, levantamiento de pesas, consumo controlado de calorías, y cosas por el estilo. Mantuve un registro de mi progreso, hice seguimiento durante varios meses, y al final alcancé mi peso y las metas que me había propuesto".

"De modo que empezaste el programa con la expectativa de que alcanzarías tus metas, ¿no es así?"

"Sí, por supuesto", dijo Lloyd. "De otro modo, supongo, ni siquiera me hubiera molestado en empezar".

"Y al hacerlo, te diste a ti mismo la primera condición esencial: expectativas positivas. El hecho de que tuvieras una expectativa por realizarse hizo inevitable que pudieras alcanzar tus metas, ¿no es así? Me gustaría repetir lo que Henry Ford dijo en una ocasión: 'Si piensas que puedes o no puedes hacer algo, tienes razón'. Y como líder, tu trabajo es ayudarle a las personas a pensar que pueden lograr las cosas".

"Esa es una buena cita", dijo Mike. "Creo que la voy a enmarcar y la voy a colgar en mi salón de clase".

"Ahora pensemos en el segundo factor", continuó Tony. 'La responsabilidad'. ¿Cómo asumiste el tema de la responsabilidad para alcanzar tu meta?"

Lloyd se detuvo a pensar por un momento. "Yo escribí y fijé mis metas en la pared de mi cocina. No podía dejar de verlas todos los días, y ello hacía que mi conciencia se sintiera motivada a actuar. Entonces me apegué a mi horario. ¿A eso te referías con la pregunta?".

"Exactamente", dijo Tony. "Tú asumiste la responsabilidad de tus propias acciones. Fijaste objetivos significativos y realistas. Te propusiste metas a corto y largo plazo de modo que tuvieras sentido de logro al ir alcanzándolas. No te permitiste encontrar excusas, como por ejemplo pensar que tus metas eran demasiado ambiciosas o que no tenías suficiente tiempo para dedicarte a alcanzarlas. Hiciste una planeación responsable y te apegaste a ese plan responsablemente.

El tercer factor, retroalimentación, también estuvo incluido en tu plan. Al principio, publicaste tus objetivos en un lugar visible, luego, ibas registrando tu progreso, día a día y semana a semana. Al hacer esto, te aseguraste de mantenerte animado y concentrado en trabajar por tus metas".

"Así es, Tony. Inicié caminando y corriendo seis millas a la semana, y al final me habitué a correr cuatro millas, cuatro veces a la semana —lo que aún hago regularmente. Me tomó seis meses adquirir esta rutina".

"Me alegra por ti. ¡Felicitaciones! De modo que al ir alcanzando tus metas y mantener registro de tu progreso a intervalos regulares obtuviste un sentimiento de logro, lo que a su vez hizo más fácil mantenerte en el programa hasta alcanzar la siguiente meta. A eso lo podemos llamar retroalimentación, y es el tercer factor que creaste para ti mismo.

Y de la misma manera como Lloyd creó estos tres factores en su programa para ponerse en forma, cualquier persona puede crear para sí misma los tres factores. Los representantes de ventas que tienen éxito a pesar de tener jefes mediocres creen en sí mismos, se hacen a sí mismos responsables y también se dan retroalimentación de apoyo. Y cuando hay un jefe excelente, los representantes de ventas que aplican de forma consistente los tres factores pueden aumentar aún más su desempeño.

Esto me lleva a la cuarta fuente de los tres factores —la combinación de dos o más de los mismos. Junte a un gerente de ventas que aplique los tres factores con sus representantes de ventas, quienes a su vez también los apliquen, y tendrá toda un grupo arrollador. Junte a un entrenador que utilice los tres factores con un equipo de jugadores que, de igual modo los aplique, y tendrá un equipo ganador. Junte a un profesor, unos padres y unos estudiantes que utilicen los factores, y tendrá hijos felices con excelentes resultados académicos.

Así, cuando se consigue que los factores provengan de diferentes direcciones, tanto a nivel interno como externo, la combinación logra una gran fortaleza.

Por consiguiente, eso es lo que estaremos aprendiendo a fin de ponerlo en práctica en el ámbito laboral, escolar y en la crianza de los hijos. Durante el programa, consideraremos los principios de forma detallada. Ustedes analizarán diversas maneras de aplicar los principios a situaciones particulares. Ustedes van a fijarse metas de forma que puedan resolver las circunstancias que enfrentan. Y también podrán medir su progreso en un circuito de retroalimentación que ustedes mismos crearán.

Aprenderán la forma de introducir los tres factores a su gestión directiva y en las relaciones con las personas que usted supervisa. Encontrará que esas personas responden positivamente a la presencia de los factores de la misma manera como otros también han respondido —aumentando su nivel de desempeño.

Obtendrán resultados que nunca pensaron que fuera posible alcanzar. Las personas que dentro de su equipo hayan sido consideradas como de bajo rendimiento, se convertirán en personas de alto rendimiento. Las personas apáticas se volverán más productivas.

La diferencia es que todos ustedes, y puedo decirlo con un buen grado de seguridad, ya son autocreadores. Ustedes se han acostumbrado a crear estas condiciones para sí mismos, y por ello es que han logrado el éxito en alcanzar la mayoría de las metas que se han propuesto. Ustedes disfrutan el proceso de fijarse metas y alcanzarlas.

Cada uno de ustedes ha descrito a la persona o a las personas cuyo desempeño les preocupa. Ahora aprenderán la manera de compartir con ellos la satisfacción del logro. Por eso es que están aquí.

Durante las próximas jornadas, van a escuchar tres mensajes arrolladores para sacar a relucir lo mejor en los demás —cree en ellos, hazlos responsables, y dales retroalimentación de apoyo. Ustedes aprenderán la manera en que funcionan los tres factores, las herramientas que pueden utilizar para aplicarlos, y las estructuras para ponerlos en práctica. Así es como los haremos responsables a ustedes.

Luego, los dejare de ver durante noventa días. Al completarse ese periodo de tiempo, nos reuniremos de nuevo. Cada uno nos

> "Cree en ellos, hazlos responsables, y dales retroalimentación de apoyo".

dirá, tanto a sus compañeros como a mí, lo que ha hecho, y los buenos resultados obtenidos. Analizaremos lo hecho y sus efectos. En otras palabras, daremos retroalimentación.

Quiero decirles que tengo las más altas expectativas de todos ustedes". Tony sonrió. Se sentía crecer el entusiasmo en la sala.

"Ustedes lograrán el éxito. Hasta se sorprenderán de sí mismos".

CAPÍTULO TRES

LA EXPECTATIVA

El poder de lo positivo

Después de un receso, Tony regresó a la sala con dos libros de texto bastante gruesos. Dejó los pesados libros sobre la mesa y sacudió su brazo, como si quisiera hacer que se le recuperara la circulación. A continuación observó a su grupo de aprendices que estaban en la parte del fondo de la sala, y sonrió con actitud de travesura.

"*Mitología de la Grecia Antigua*", susurró. Aquella expresión fue recibida con silencio, excepto por un pequeño suspiro de Mary.

"Bien, tal vez sólo un curso de repaso. Mary, ¿tienes cinco minutos para mitología griega?"

Mary sonrió, "Justo estaba pensando en un semestre en la universidad hace bastante tiempo. Nunca pude entender bien a esos personajes".

"Bien, el personaje del cual quiero hablar es alguien de quien posiblemente hayan oído antes. ¿Cuántos de ustedes han visto el musical o la película *Mi bella dama (My Fair Lady)*?" Todos, excepto Carlos, levantaron su mano.

"¿Saben en qué se basa ese musical?", preguntó Tony.

"¿No fue en *Pigmalión*, de George Bernard Shaw?" dijo Mike.

"Has hablado como un verdadero maestro escolar", dijo Tony. "Mike tiene razón. Se basa en la obra de Shaw, la cual a su vez se basa en la mitología griega sobre Pigmalión". Tony abrió uno de los libros en una página que tenía sujetada por un clip y la mostró a todos en la sala.

"Pigmalión fue un escultor que creó la estatua de la mujer ideal, después se enamoró de su propia obra, llegando a creer que se trataba de una persona real. Afrodita, la diosa del amor (los romanos la llamaban Venus) se compadeció de Pigmalión e hizo que la estatua cobrara vida.

Siglos después, Shaw retomó la historia de Pigmalión y la plasmó en el profesor Henry Higgins y Elisa Doolittle, una joven iletrada de un barrio de clase obrera. En la versión de Shaw, Higgins, profesor de Lingüística, hace una apuesta con un colega diciendo que él puede hacer que Elisa pase como una duquesa, haciendo que su forma de hablar cambie. Y gracias a sus expectativas, y a mucho esfuerzo, él lo logra.

"¿Sí, Carlos? Te ves un poco escéptico".

Carlos, quien había estado apoyado en el espaldar de su silla con sus brazos cruzados, dijo: "Bien, no estoy muy seguro de adonde quieres llegar, pero si lo que estás intentando decir es que todo esto tiene que ver con expectativas altas, tengo problemas con ello. Tengo expectativas muy altas respecto a la posibilidad de mejorar la calidad del producto de mi compañía y hablo de ello con mis gerentes constantemente, pero la situación no parece mejorar. Al menos no de la manera que tú dices que mejora".

"Bien Carlos, demos un vistazo a ese asunto. Noté que utilizaste la expresión 'expectativas muy altas'. Yo prefiero la expresión 'expectativas positivas', y esta es la razón: tú puedes tener expectativas muy altas, es decir, esperar bastante de las personas, pero al mismo tiempo puede suceder que en la realidad no creas que ellos alcancen a lograr el éxito. La expresión 'expectativas positivas' implica creer que ellos van a lograrlo, y tú debes creer en ello a fin de hacer que suceda.

Por supuesto, las expectativas positivas en sí mismas no son suficientes. Estas son sólo uno de los ingredientes que permiten sacar a relucir lo mejor en los demás. Las expectativas positivas no son eficaces si se encuentran en el vacío. Tienen que ser comunicadas a otros, entendidas y aceptadas.

Es posible que necesites desarrollar este asunto. Recuerda, eres solamente una de las muchas personas que interactúan con aquellos que tienen efecto en la productividad. Tú tienes expectativas positivas, pero quizás haya cientos de personas con expectativas negativas entre tú y ellos. Si ese es el caso, tu principal tarea consistirá en hacer que tus expectativas sean comunicadas a los que se encuentran en el medio, y que sean aceptadas, entendidas y comunicadas a otros

En mis archivos hay un estudio muy interesante que viene al caso. ¿Sabes en qué año el Comité del Censo empezó a automatizar la tabulación del censo?"

"No lo sé. Me imagino que alrededor de 1960".

"No. Fue en 1890. Un ingeniero mecánico llamado Herman Hollerith inventó una máquina que podía utilizarse para ingresar datos del censo en tarjetas perforadas. La máquina era algo así como una máquina de escribir, y los que las operaban necesitaban recibir entrenamiento especial. Hollerith consideraba que un operador experto podía procesar unas 550 tarjetas al día. Luego de dos semanas de práctica los operadores expertos lograban perforar las 550 tarjetas. Algunos hasta alcanzaban la cifra de 700, pero se quejaban de que había mucha tensión al trabajar a esa velocidad.

Bien, el siguiente grupo de operadores fue entrenado por personas que no tenían conocimiento de la predicción de Hollerith. A ellos no se les informó lo que había sucedido con el primer grupo. No pasó mucho tiempo antes que estuvieran perforando 2.100 tarjetas al día sin mayor complicación.

Este fue un caso en el que las expectativas bajas fueron comunicadas a un grupo de entrenadores y no al otro. Las máquinas eran las mismas, la metodología del entrenamiento era la misma, y los entrenadores del segundo grupo no eran más brillantes que los del primer grupo. Lo único que cambió fueron las expectativas.

Carlos, es posible que descubras que eso esté sucediendo en tu compañía. Seguramente tú estás comunicando expectativas positivas, pero es probable que los demás no lo estén haciendo. O es posible que tú tengas muchas expectativas, pero que no tengas expectativas positivas respecto a las personas. O tal vez tengas las expectativas positivas pero posiblemente no estén siendo comunicadas de una manera en que las personas las reciban como una experiencia positiva. Pero por ahora, hablemos del tema del efecto Pigmalión como un asunto de persona a persona, ¿te parece?"

"De acuerdo", respondió Carlos. "Esa es un historia bastante sorprendente, si es real".

"Puedes creerme, es un asunto bien documentado. Y es tan sólo uno de los varios cientos de estudios que demuestran el impacto del efecto Pigmalión en la vida diaria. Algunos de los estudios se han conducido en entornos educativos, otros en entornos empresariales. Y las conclusiones en todos los casos son siempre las mismas. Cada uno de nosotros puede afectar a otros de manera significativa simplemente mediante tener expectativas positivas para con ellos".

"Discúlpame, Tony", dijo Janet. "¿Tiene esto que ver algo con el efecto placebo?".

"Sí, tiene relación. ¿Conocen todos ustedes el efecto placebo?"

Lloyd respondió, "Por favor, refresca mi memoria".

"Escuchémoslo de alguien experto en la materia, ¿quieres hacerlo, Janet?".

"Es un asunto bien establecido en el campo de la Medicina", explicó Janet. "Cierto tiempo atrás, antes de que existieran muchas medicinas eficaces, cuando no habían explicaciones médicas para varias enfermedades, los médicos solían dar a los pacientes 'medicina' que contenía azúcar solamente y les decían que los haría sentirse mejor. A pesar de que lo administrado no era en realidad ninguna medicina, las píldoras funcionaban. Los pacientes se mejoraban porque esperaban sentirse mejor.

"A estas cápsulas de azúcar se les llegó a conocer como 'placebos'. Por estos días, los placebos se utilizan en estudios clínicos para determinar cuán eficaces son los nuevos medicamentos. Si a un paciente no se le da ninguna medicina real, se elevan sus expectativas de mejoría. De modo que si a 500 personas se les administra la medicina que se quiere probar y a otras 500 el placebo, y el mismo porcentaje se mejora, se puede concluir que la nueva medicina no es más eficaz que las expectativas positivas".

"Pero pensando en lo que Tony nos ha dicho", dijo Mary, "¿no afectaría el efecto Pigmalión las expectativas del doctor cuando prescribe una fórmula? El médico sabe que el efecto placebo básicamente no tiene valor, de modo que, ¿no influencian sus expectativas bajas el resultado?".

"Así es," dijo Janet. "Por eso es que la mayoría de las pruebas clínicas de hoy en día son doblemente ciegas. Ni el médico ni el paciente saben quién recibe el placebo y quién recibe la medicina verdadera hasta cuando se concluye el estudio. De esa manera, las diferencias que se evidencien en los grupos de prueba pueden atribuirse a la dosis recibida. Todavía es cierto que el simplemente hacer parte del estudio puede incrementar las expectativas del paciente, pero ese efecto es el mismo para ambos grupos".

"¿Qué tan poderoso es el efecto placebo, Janet?" Preguntó Lloyd.

"Eso depende del estudio que estés considerando. Algunos estudios indican un impacto de hasta el 50% —lo que significa que la mitad de la mejora es atribuible al efecto placebo. Hay un par de estudios que reportan el 70% y 80%. Aunque otros estudios difícilmente demuestran algún efecto. Sin embargo, el promedio es de alrededor del 30%".

"¿Aplica esto a enfermedades serias o a cosas como gripa y resfriados?".

"Resulta interesante que menciones la gripa y los resfriados, Lloyd. Con frecuencia se prescriben muchos antibióticos para las gripas y los resfriados, aún cuando los virus no se combaten con antibióticos. Pero la gente cree que los antibióticos ayudan. De modo que en algunos casos, ayudan.

Respecto a otras enfermedades, muchas de estas responden a los placebos —hipertensión, asma, depresión— y justo viene a mi memoria algo interesante. Es casi increíble, pero hubo un estudio en el que estaban probando qué tan bien funciona un procedimiento quirúrgico para tratar la angina de pecho; esta aflicción consiste en un dolor crónico en el pecho generado por la reducción en el diámetro de las arterias coronarias. La cirugía consiste en cerrar una arteria en el pecho. Entonces arreglaron hacer un placebo quirúrgico, es decir, anestesiaron a algunos pacientes y simplemente cortaron la piel. El resultado fue asombroso: 80% de los pacientes placebo, los que no tuvieron la cirugía de verdad, se mejoraron, en otras palabras, quienes no tuvieron la cirugía real se mejoraron. ¡El placebo resultó mejor que el tratamiento!".

Tony interrumpió: "Janet, ¿tienes información de placebos negativos?". Es decir, ¿casos donde las expectativas hicieron que una enfermedad empeorara?".

"Sí, hubo un caso en el que a un grupo de personas se les dio agua de azúcar y se les dijo que era un vomitivo. ¿Saben cuántos vomitaron? El 80%. A propósito, los investigadores llaman a esto un efecto 'nocebo'".

"Eso es interesante", dijo Tony. "La razón por la que pregunté eso fue porque estaba pensando en la máquina perforadora de Hollerith. Cuando se le dijo a los operarios que probablemente no podrían trabajar más de 550 tarjetas diarias, estos se sintieron sobrecargados al hacer 700, mientras que otros pudieron perforar fácilmente tres veces esa cantidad. Aquello pudiera compararse a un placebo negativo.

Ahora bien, pongamos todo esto junto. Para resumir lo que Janet nos ha explicado, un placebo puede funcionar de forma positiva o negativa, de acuerdo con las expectativas. Si el paciente considera que la medicina va a funcionar, funciona. Igual de importante, si el médico considera que el medicamento va a ayudar al paciente, lo más probable es que le ayude; y esto es porque las expectativas del paciente resultan influenciadas por las expectativas del médico".

"De modo que lo que tú estás diciendo", dijo Mary, "es que lo mismo ocurre en nuestras interacciones diarias con las demás personas. ¿Algo así como un efecto placebo?".

"Exactamente. De hecho, esta es una pregunta para todos ustedes. ¿Pueden darme un ejemplo, de su propia experiencia, de cómo sus expectativas han influido en las acciones y el éxito de otros?".

Hubo un momento de silencio a medida que los presentes examinaban su memoria. Entonces Mike dijo: "Debo confesar que tuve a un estudiante, hace varios años que llegó arrastrándose al salón de clase viéndose como una bolsa triste —ustedes saben, ropa desgastada, mal corte de pelo, desplomado en su silla. Pensando retrospectivamente, creo que asumí que tenía una mala actitud, de modo que no le dediqué mucha atención. Pero durante la primera semana presentó un examen excelente y también se ofreció de voluntario para una asignación con un crédito adicional. Resultó ser un joven muy inteligente, un estudiante muy motivado, a quien nada le quedaba difícil. Al principio mis expectativas para con él eran pocas, de modo que intentaba prestarle más atención a los estudiantes que parecían estar más ansiosos de aprender. Pero afortunadamente, este joven no permitió que mis expectativas por él se desvanecieran. Este joven era poco común, se automotivaba".

"Ese es un caso excelente, Mike. Ahora permítanme darles otros ejemplos que ilustran el efecto que pueden lograr las expectativas. El doctor Albert S. King, un doctor con doctorado, trabajó con un grupo de cincuenta y seis obreros de pocas posibilidades, y sin entrenamiento. A un grupo de ellos se les iba a dar entrenamiento especializado en labores mecánicas. El doctor King escogió a catorce de estos hombres y los designó 'personal con grandes aptitudes' — PCGA para no extendernos demasiado. A sus supervisores se les dijo que esperaran una mejora inusual en las habilidades de estos catorce seleccionados durante el entrenamiento.

Fue así como empezaron a ocurrir cosas interesantes. Mientras recibían entrenamiento, se les condujeron pruebas escritas a los soldadores y mecánicos. Los que habían sido designados como de 'grandes aptitudes' obtuvieron mayores puntajes que los demás. A los entrenadores se les pidió que calificaran a sus colegas. ¿Con quienes deseaban trabajar ellos? ¿Con quienes deseaban estar? ¿Quiénes eran los de mayor desempeño? De nuevo, el personal PCGA obtuvo los mejores puntajes.

Al final del programa se le pidió a los supervisores calificar el progreso de los entrenados de acuerdo a un criterio compuesto de ocho estándares. Estos fueron los resultados: el personal de 'grandes aptitudes' obtuvo un puntaje muy superior al del resto de participantes. Estos fueron juzgados como personas con mayor conocimiento de su trabajo, más productivos, mejor capacitados para aprender sus deberes, más responsables, con mayor disposición a cooperar, y más coherentes. De acuerdo a sus supervisores, los PCGA fueron los mejores.

Pero en realidad, la única diferencia entre los catorce aprendices denominados de 'grandes aptitudes' y los demás estaba en la mente de sus superiores. Al menos esto era cierto al principio, ya que estos fueron escogidos enteramente de forma aleatoria.

Obviamente, las expectativas positivas fueron aplicadas aquí. ¿Cómo revelaron los supervisores sus expectativas a los aprendices seleccionados? Posiblemente lo hicieron de forma inconsciente, y de formas sutiles de las cuales los entrenados tampoco estuvieron conscientes.

King ideó una prueba para probar una posible pista visual. A un grupo de aprendices de ambos grupos se les mostraron fotografías del mismo supervisor. Las fotografías eran idénticas, con la excepción de que una de estas había sido modificada para hacer que las pupilas del supervisor aparecieran más grandes. A los aprendices se les hicieron dos preguntas. (1) '¿Ven ustedes alguna diferencia en estas fotografías de su supervisor?', y (2) 'Sin importar si hay diferencias o no, ¿pueden ustedes seleccionar la fotografía que muestra la manera como su supervisor le mira a usted?'.

Ninguno de los entrenados pudo identificar diferencia alguna entre las fotos. Sin embargo, todos los cinco aprendices de 'grandes aptitudes' que fueron probados escogieron la fotografía de pupilas grandes, indicando que esa era la manera en la que sus supervisores les miraban habitualmente. Sólo dos de los siete aprendices no escogidos seleccionaron la foto modificada.

¿Por qué escogieron los aprendices PCGA la foto con las pupilas grandes aún cuando no podían señalar ninguna diferencia? De acuerdo con otra investigación psicológica, el tamaño grande de una pupila puede indicar expectativas y una actitud más favorable. King concluyó que una manera en la que los supervisores comunican de forma no intencional sus expectativas positivas era mediante el contacto visual.

Sin ser muy conscientes de ello, con frecuencia les decimos a los demás lo que esperamos de ellos simplemente a través del contacto visual. Y aunque no nos demos cuenta de lo que está sucediendo, ellos sienten el impacto de nuestras expectativas. Hasta los aprendices que no eran PCAG en el estudio de King probablemente recibieron el mensaje,

> "Sin ser muy conscientes de ello, con frecuencia les decimos a los demás lo que esperamos de ellos simplemente a través del contacto visual".

mediante las pistas visuales de las miradas inconscientes de parte de sus supervisores, de que ellos no estaban dentro de los 'destinados' a lograr un desempeño alto.

"¿Y qué les dice esto a ustedes?", preguntó Tony, mientras hacía contacto visual con cada uno de sus estudiantes. "Significa que para sacar a relucir lo mejor de los demás, es decir, empleados, estudiantes o hijos, cada fibra de su cuerpo, todas las células de su ser, debe comunicar expectativas positivas. Todos los mensajes que ustedes envíen, sean hablados o silenciosos, enviados de forma consciente o inconsciente, deben ser congruentes. Si sus mensajes están en conflicto, el receptor escogerá un canal o el otro para creer. Sabemos, basándonos en otra investigación que si hay conflicto en, por ejemplo, sus palabras habladas y sus mensajes no verbales, los mensajes no verbales tienen mayor impacto que las palabras. Mike, tú nos diste un ejemplo perfecto de esto, tu persona de desempeño alto cuyo leguaje corporal transmitió el mensaje equivocado.

> "Todos los mensajes que ustedes envíen, sean hablados o silenciosos, enviados de forma consciente o inconsciente, deben ser congruentes".

En el trabajo que he realizado con personas como ustedes, con frecuencia veo a padres, líderes, personas en reuniones de comité, diciendo una cosa con sus palabras y otra totalmente distinta con su lenguaje corporal. Es posible que ustedes digan a su hijo, 'Estoy listo para escuchar tu historia', pero si ustedes están de pie allí con sus brazos doblados y mirada fulminante, su lenguaje corporal está diciendo, 'Ya he decidido en mi mente lo que voy a hacer, y estás en problemas'. Te veo asintiendo, Lloyd. ¿Eso te sonó familiar?"

"Me temo que sí. Ya lo sabes, es muy fácil desarrollar ese patrón cuando tienes hijos. Supongo que eso sucede porque ellos no han aprendido a disimular su lenguaje corporal. Ellos se retuercen, hacen más protuberante su labio inferior, ponen los ojos en blanco. Muy pronto, aunque no quieras, te sorprendes a ti mismo utilizando el mismo lenguaje".

"¡Amén!", dijo Janet.

"Sabes, Tony, eso es algo que he aprendido en la docencia", dijo Mike. "Los niños son muy impresionables, especialmente los más pequeños. Perciben tu estado de ánimo, sin que siquiera hayas dicho una palabra. Si no acondicionas tu mente cuando vas camino al salón de clase, puedes esperar un día difícil en la escuela. ¿Tienes algún estudio que hable de los salones de clase?".

"En efecto, sí", dijo Tony. "Robert Rosenthal y Lenore Jacobson obtuvieron resultados similares a los de King en el sistema escolar de la costa oeste. Luego de examinar cuidadosamente el cociente intelectual de los estudiantes con el fin de establecer una factor común de base, seleccionaron a varios estudiantes de forma aleatoria procedentes de varios salones de clase y los designaron como 'aprendices brillantes'. A continuación les dijeron a los profesores que estos jóvenes habían sido identificados, mediante una prueba psicológica, como estudiantes con gran capacidad de aprendizaje durante el año escolar.

Al final del periodo, los estudiantes fueron evaluados de nuevo, y no sólo obtuvieron más altas calificaciones y mejor evaluación de personalidad, sino que también demostraron un aumento significativo en sus puntajes de cociente intelectual".

"Yo estoy completamente de acuerdo con eso", dijo Mike. "He visto estudiantes con bajo rendimiento, empezar de repente a mejorar su desempeño simplemente porque alguien los saludó en el pasillo. A veces tengo la sensación de que algunos de estos chicos no reciben ningún tipo de atención por parte de otras personas".

"Y lo mismo ocurre con las ventas, Mary", dijo Tony. "J. Sterling Livingston estudió a un gerente de ventas de distrito, quien básicamente reorganizó a su equipo entero de vendedores. Él asignó a sus agentes con más alto desempeño a trabajar con su mejor gerente auxiliar, a sus siguientes mejores agentes con un jefe promedio y a los de bajo rendimiento con quien era considerado el supervisor menos aventajado. Esto fue lo que sucedió:

Juntar a los mejores vendedores con el mejor gerente asistente aumentó las ventas. Se les llegó a apodar como 'el súper grupo'. Su espíritu de trabajo en equipo se mantuvo muy alto, y su desempeño inclusive fue mejor de lo que anticipó el gerente de distrito.

Por su parte, los de bajo rendimiento con el gerente menos aventajado, vendieron aún menos de lo que vendían antes. Y no sólo eso, sino que la mayoría de ellos renunciaron a su trabajo. No sorprende mucho eso, ¿verdad?

Ahora, los de la mitad obtuvieron los resultados más sorprendentes. El gerente del distrito esperaba de ellos un desempeño promedio, e imaginaba que tendrían resultados similares a los de antes pero no fue así. Sus ventas mejoraron notoriamente. El gerente asistente de esta categoría se rehusó a creer que sería menos capaz que el líder del 'súper grupo', y que su personal fuera menos eficiente que los vendedores del primer grupo. Este hombre se propuso a permanecer comunicando expectativas positivas a sus colaboradores, indicándoles que mediante perseverancia y trabajo duro podrían tener un desempeño excelente. El segundo grupo aumentó su producción en un porcentaje mucho más alto que el 'súper grupo'.

> "Las expectativas que nosotros tengamos, ejercerán un impacto significativo en el desempeño de otros".

He encontrado al menos un centenar de estudios que indican básicamente lo mismo. Y lo que estos indican es que las expectativas que nosotros tenemos, ejercen un impacto significativo en el desempeño de otros. Mary, tus expectativas constituyen un factor importante en los resultados que obtengas de tus Marvins. Y Lloyd, lo mismo es cierto de tu hija. Carlos, eso tiene que ver también con la totalidad de tu personal de producción. De la misma manera ocurrirá contigo y tu personal de enfermeras, Janet. Y con tus estudiantes, Mike.

Si tú esperas lo mejor de las personas, y si lo comunicas de forma clara y consistente mediante tus palabras, tono de voz y lenguaje corporal, la gente responderá de forma adecuada.

Por favor, noten que yo no estoy comparando las expectativas positivas con el pensamiento positivo, el cual con frecuencia no tiene ninguna relación con la realidad. Si el pensamiento positivo no se traduce en patrones de comportamiento específicos, este no tendrá ningún efecto.

Las expectativas positivas, como las definimos aquí, deben comenzar con la verdadera realidad. Si las ventas están bajas, esa es una realidad. Si la calidad es deficiente,

> "Las expectativas positivas, como las definimos aquí, deben comenzar con la realidad actual".

esa también es una realidad. Ustedes deberán reconocer los hechos y aceptar la realidad. Entender la verdadera realidad, requiere de una valoración concienzuda del lugar donde realmente estamos. Si no hemos logrado reconocer plenamente donde estamos, tampoco podremos avanzar. Sin embargo, una vez hayamos aceptado esa realidad entonces podremos poner a trabajar a las expectativas positivas y convertir esa realidad en otra realidad diferente —una realidad donde la productividad mejore, donde las calificaciones escolares sean más altas y donde se logre un mejor desempeño en el equipo de trabajo".

CAPÍTULO 4 CUATRO

LA RESPONSABILIDAD

La fuerza de la disciplina

"**C**onsideremos ahora el segundo factor: la responsabilidad", dijo Tony. "Quisiera hacerles una pregunta a todos ustedes: ¿cuál es el requisito número uno para hacer que las cosas se hagan?".

Hubo un silencio inquietante, como si Tony hubiera pronunciado las palabras "examen sorpresa".

Mary se aventuró a decir: "Yo diría que la voluntad de hacerlas".

"Sí, de cierta manera. ¿Alguien más?".

Carlos dijo: "La planeación y el fijar metas".

"Ello representa dos cosas, pero no es lo que estoy buscando. ¿Alguien más?".

Hubo un silencio.

"La respuesta que estoy buscando es esta: 'Alguien tiene que hacerlas'".

Carlos sacudió su cabeza y sonrió. "Elemental, Tony".

"Así es", dijo Tony. "Demasiado fácil. Demasiado obvio. Por eso es que nadie da con el punto. Es un factor importante que todos tendemos a pasar por alto".

"¿Han visto alguna vez a algunas personas o grupos de personas, iniciar con las mejores intenciones y nunca lograr nada?".

Varios miembros del grupo susurraron, "Sí".

Cuando ustedes vean que eso es lo que está sucediendo, generalmente la clave es la responsabilidad. Sin responsabilidad, no se logra nada. Con frecuencia se escucha decir, 'Eso es responsabilidad de todos'. Pero cuando las ganancias, las ventas, la calidad o la relación con los clientes penden de la cuerda, eso no tiene sentido. Alguien, alguna persona con nombre debe ser 'dueño' de la meta. A pesar de que varias personas desempeñen alguna función tendiente a conseguir el resultado final, alguien tiene que ser el responsable final. Cualquier cosa que sea la 'responsabilidad de todos' pronto se convierte en la responsabilidad de nadie. La falta de responsabilidad constituye el camino que conduce hacia la mediocridad.

> "La falta de responsabilidad constituye el camino que conduce a la mediocridad".

Eso resulta particularmente cierto en los esfuerzos individuales. Muchas personas esperan a nuestro alrededor que algo extraordinario suceda.

Parecen esperar que alguien lleve la delantera, aun si la tarea a realizar es algo que pueda realizar una sola persona.

Una de mis frases favoritas es 'Nadie viene a ayudar'. Esta es otra manera de decir, 'No tiene caso esperar a que alguien venga para que ponga en marcha las cosas. Todo depende de ti'.

¿Y cuáles son los factores clave que hacen que la responsabilidad funcione? Tony borró el tablero y escribió:

1. Asigne responsabilidad

Lo primero es asignar la responsabilidad —pero sin asignar culpabilidades. La responsabilidad es positiva. La culpabilidad es negativa. No lleva a ninguna parte. Y a continuación, al lado de la primera frase, escribió "CULPABILIDAD" y encerró la palabra en un círculo y cruzándolo con una barra.

En segundo lugar, se necesita tener metas claramente definidas.

2. Fije metas

Asegúrense que todos los implicados entienden la meta. No tiene mucho sentido empezar a andar el camino si no ha habido consenso respecto a cuál es el lugar de destino. "¿No es así, Carlos?". Carlos sonrió y asintió.

3. Desarrolle planes de acción

"En tercer lugar, se necesita tener un plan de acción que indique cómo se espera alcanzar la meta. Estas no se alcanzan por casualidad, se logran mediante planeación y acción. Un plan de acción puede asemejarse a una póliza que asegura que se va a lograr esa meta.

4. Comprométase

El cuarto ingrediente es el compromiso. Cuanto más esté la gente involucrada en identificar metas, desarrollar planes y medir el progreso, más sentido de responsabilidad manifestará.

"Discúlpame, Tony", dijo Lloyd. "No intento sabotear la discusión, pero esto suena a esas reuniones largas de negocios con muchos asistentes. ¿No es demasiado esperar que un padre y una hija sigan todos estos procedimientos? Comprendo lo de las expectativas positivas, pero ninguna adolescente va a querer hacer todo ese proceso de planeación y definición de metas".

"Lo entiendo, Lloyd", replicó Tony. "Pero como pronto lo verás, suena más complicado de lo que realmente es; especialmente en un caso de uno-a-uno como el tuyo. Enseguida te lo explico".

"Consideremos el primer punto, y creo que empezarás a entender lo que quiero decir". Tony caminó hacia el tablero y encerró en un círculo la palabra RESPONSABILIDAD.

Como lo mencioné anteriormente, la responsabilidad es buena, la culpabilidad es mala. ¿Cómo se puede hacer a la gente responsable sin caer en el escollo de la culpabilidad?

Dos organizaciones que veo haciendo un gran trabajo al respecto son el Ejército de los Estados Unidos y General Electric (GE). El hecho real es que todas las compañías que prestan servicios hacen un gran trabajo —cada una a su propia manera. Es sólo que yo tengo más contacto directo con el ejército. De cualquier forma, el ejército y GE tienen instituido el procedimiento de tratar los asuntos de forma directa y sin aplicar la política de 'pasarse la pelota' unos a otros, lo que inevitablemente se convierte en un gran problema. El ejército empieza a instituir esta política en su personal durante la etapa de entrenamiento básico. Suena duro, se ve duro, es duro. Pero aplicada apropiadamente, enseña a los reclutas la importancia de la responsabilidad.

"Algunos de ustedes probablemente recuerden el entrenamiento. Se asemeja a lo siguiente:

'Russo, ¿volcó usted la caja MREs?'

Para explicación de ustedes que son civiles, esa sigla en inglés significa 'comida lista para comer'. Todos en la mesa se rieron.

'No señor, ¡No volqué la caja de MREs!'.

'¿Quién lo hizo, Russo?'

'Fue Smith, señor'

'Russo, ¿por qué no detuvo a Smith?'

'No lo sé, señor'

'¡NO LO ESCUCHO, RUSSO!'.

'NO LO SÉ, SEÑOR'

'¿USTED NO SABE QUÉ, RUSSO?'

'SEÑOR, ¡NO SÉ PORQUÉ NO DETUVE A SMITH, SEÑOR!'

'Bien, Russo, ¿cree usted que la próxima vez que vea que Smith está a punto de voltear la caja de MREs USTED PODRÁ DETENERLO?'

'SEÑOR, LA PRÓXIMA VEZ QUE SMITH ESTÉ A PUNTO DE VOLTEAR LA CAJA DE MREs, ¡YO LO DETENDRÉ, SEÑOR!'.

Para este momento, todo el mundo en la mesa estaba riendo a carcajadas, excepto Mike, quien parecía momentáneamente inmerso en sus propios recuerdos. Tony continuó:

Con base en este tipo de experiencias los nuevos reclutas del pelotón aprenden dos cosas. Aprenden a asumir la responsabilidad tanto por sus acciones como por sus omisiones. Smith, de igual modo, aprende una lección. Para el tiempo en el que la mayoría de las personas llegan a ser adultas, han aprendido ciertos hábitos, tales como evitar la responsabilidad y no enfrentar los hechos. Por eso es que el ejército, y otros estamentos militares, son tan estrictos durante el entrenamiento básico. Se necesita de una disciplina fuerte para desarraigar ese tipo de hábitos.

El ejército refuerza ese entrenamiento conduciendo lo que se conoce por sus siglas en inglés como AAR, es decir, 'acciones posteriores de revisión'. Estas se realizan después de cada evento establecido, no importa si se trata de un asunto grande o pequeño. Estas revisiones duran aproximadamente diez o quince minutos. En cada procedimiento de revisión se evalúan cuatro preguntas: (1) ¿Qué se supone que sucedió? (2) ¿Qué sucedió en realidad? (3) ¿Qué resulta de la diferencia entre las dos preguntas anteriores?, y (4) ¿Qué se puede aprender de lo ocurrido? En todo este proceso no se pasan memorandos. Ningún reporte se anexa a la hoja de vida de los implicados. Los procedimientos de revisión son simples y directos. No hay sesiones de culpabilidad. Estos sucesos son oportunidades de aprender, y aunque al principio el individuo implicado se sienta algo incómodo por tener que aceptar su responsabilidad, pronto aprende a ver estas situaciones como oportunidades de aprender y de crecer.

Hace unos diez meses tuvimos aquí a un guardabosques del ejército y me comentó que todavía utilizan este mismo procedimiento. Después, hace unos tres o cuatro meses me envió un correo electrónico y me dijo que incluir expectativas positivas aumentaba la retroalimentación positiva y que aquello le estaba ayudando a mejorar el desempeño del personal que le asignaban para entrenamiento.

Jack Welch hizo lo mismo en GE. Transformó las reuniones de su corporación en lo que él denominó 'foros interactivos para diseminar ideas nuevas y compartir experiencias'. Descubrió que esta era una herramienta eficaz en contra de las reuniones burocráticas corporativas, y a cambio de eso, considerar problemas reales para resolverlos con la mayor prontitud. A pesar del tamaño tan grande de la compañía, GE desarrolló un sistema de tiempo de respuestas mucho menor que el de compañías más pequeñas. Las innovaciones de Welch se cuentan entre las razones por las que GE se hizo tan competitiva en los años ochenta y noventa.

En realidad no hay nada complicado en este procedimiento. Hacer las cuatro preguntas AAR es algo sencillo de implementar; no obstante, ayuda a establecer responsabilidades para lograr que las tareas se lleven a cabo. Si alguno de ustedes es un representante de ventas, puede aplicar el procedimiento de preguntas después de cada contacto comercial. Carlos, tú también puedes hacerlas a tu equipo de producción. Lloyd, las puedes aplicar con tu hija.

Por supuesto, cada situación tendrá que tratarse de forma diferente. Se ha de establecer el estilo apropiado para cada situación y para cada persona. Tanto Lloyd como Janet no tratarán a su hija y a su grupo de enfermeras de la misma manera como se trata a un militar. En estos casos, se necesita ser mucho más amable. No obstante, el principio es el mismo.

Practiquen este procedimiento, y con el tiempo, la aplicación de este sistema de revisión, se convertirá en un hábito que les guiará a mejoras constantes.

Muy bien. Ahora que tienen herramientas para establecer responsabilidad, ¡felicitaciones! La gente es responsable. ¿Pero, responsable de qué?

Tony se volvió hacia el tablero y encerró con un círculo la palabra METAS.

Las metas ayudan de forma particular por dos razones. En primer lugar, crean un enfoque mental proactivo en vez de un enfoque mental reactivo. Y en segundo lugar, suministran enfoque. La mayoría de las personas caen en 'la trampa de la actividad'. Se envuelven tanto en la actividad en sí, que pierden de vista por qué la están haciendo.

Para alcanzar el cumplimiento de las metas se necesita ejecutar un plan de acción. Su personal debe ser responsable de llevarlo a cabo, y por ende, de alcanzar las metas.

Jack Welch dominó esto con maestría en GE. Antes que nada, fijó metas altas. Él consideró que las personas tienen una capacidad mayor de alcanzar objetivos de lo que normalmente ellas mismas imaginan. Es decir, capacidades superiores de las que cada individuo logra ver. Welch se concentró en comunicar ese mensaje de diversas maneras, mediante sus palabras, sus acciones y sus mensajes no verbales. Él comunicó sus expectativas de alcanzar las metas más altas y ambiciosas.

"Tony", interrumpió Mike, "como dices, Welch fijó metas muy altas. Eso se puede hacer en un entorno corporativo muy competitivo, donde todos son adultos y donde todo el mundo sabe que el asunto se trata de nadar o hundirse. Yo no creo que eso se pueda hacer en la escuela. Mi responsabilidad es hacer que los estudiantes aprendan, y no en hacer de la escuela el negocio más grande del país. Los profesores no tienen la opción de contratar y despedir a sus estudiantes. Si yo fijo metas muy altas, un buen número de estudiantes va a desmoralizarse, reprobar, darse por vencido y dejar de asistir a clases".

"Sí, por supuesto Mike, tienes razón. Por eso es que las metas deben ser manejadas desde el enfoque de la responsabilidad y de acuerdo con la situación de cada individuo. No se puede tratar a los estudiantes escolares de la misma manera como se trata a un equipo de producción en una fábrica, o a un equipo de enfermeras en una institución hospitalaria. No obstante, los principios siguen siendo los mismos.

A GE aún se le conoce consistentemente por sus metas altas. Una de las razones por las que esas metas altas funcionan para la empresa es porque a su personal se le apoya para que logre alcanzar esas metas. Y ese apoyo necesario se logra dar utilizando algo que se conoce como 'estrés gradiente'. Permítanme ilustrar este punto. En el tablero, Tony dibujó una escala vertical:

En esta escala, el número 1 representa poco estrés y los números del 8 al 10 representan el punto límite. Si uno tiene personal en el nivel 1 de estrés y los lleva a los niveles 2, 3 ó 4, entonces los estará sometiendo a estrés. En los niveles 5, 6 ó 7 los estará sometiendo a mucha más presión —pero si se les da el apoyo que necesitan para hacer el ajuste, lo podrán manejar.

Ahora bien, si uno va directo del nivel 1 a los niveles 8, 9 ó 10, los estará llevando a su punto límite, lo que significa que sin importar cuánto apoyo se suministre, el personal no podrá manejar el estrés. Muchos líderes que intentan alcanzar metas encumbradas sin siquiera dar una cantidad mínima de apoyo, luego se preguntan por qué su personal no se desempeña igual que el personal de GE. Con frecuencia se ve que esto también sucede con los primogénitos, o con los chicos de ocho años que juegan en la liga, o en general con las personas de quienes se espera demasiado pese a no habérseles dado mucho apoyo. Se les lleva al estrés del punto límite, y entonces fracasan.

La clave está en utilizar el estrés gradiente para así conseguir los resultados esperados de otras personas. Una vez que alguien alcanza el nivel 5 de estrés y se ha habituado a ese nivel, ese se convierte en su nuevo nivel 1 de estrés. Ahora el punto que hubiera sido el nivel 9 o 10 de estrés se convierte en su nivel 5, el cual la persona podrá manejar si se le da apoyo. Así un nivel de desempeño que pudiera haber parecido lejos del alcance doce meses atrás, se hace alcanzable, siempre y cuando se suministre el apoyo necesario.

Ese apoyo se proporciona mediante las expectativas positivas que hemos mencionado anteriormente, y mediante retroalimentación positiva, la cual consideraremos más adelante.

Bastantes compañías fijan metas muy ambiciosas, y esto sucede con mucha frecuencia, metas ambiciosas que muchos consideran difíciles de alcanzar. Pero la clave de hacerlas realidad tiene que ver con prestar apoyo al equipo.

Las compañías que hacen que sus individuos crezcan, aumentan sus ingresos. Las compañías que oprimen a su personal, disminuyen las ganancias. Cuanto más apoyo brinden a su personal, mayores ganancias alcanzarán.

Los maestros pueden lograr lo mismo, haciendo uso de una estrategia diferente. Por ejemplo, decirles a sus estudiantes: 'Yo sé que tú sabes hacer un trabajo mucho mejor que este. Sé que tienes la capacidad para hacerlo, y yo te quiero ayudar a desarrollar todo ese potencial'.

> "Cuanto más apoyo brinden las empresas a su personal, mayores ganancias obtendrán".

Ahora, Mike, para contestar tu pregunta hay dos escuelas de pensamiento que hablan de fijar metas muy altas. Una de estas dice que se deben establecer metas encumbradas de modo que la gente tenga que esforzarse por alcanzarlas. Todos sabemos que fijar metas ambiciosas en ocasiones puede motivar a la gente a vencer los obstáculos y dar en el blanco. Pero hay un peligro, porque si las metas son demasiado altas, la gente va a sentir que los esfuerzos son inútiles y muchos se darán por vencidos.

La otra escuela dice que puesto que el éxito en sí mismo es motivador, se deben fijar metas alcanzables para asegurar que la gente las pueda obtener, y que al hacerlo, se sentirán motivados a lograr resultados aún más sobresalientes. El contra argumento es que si la meta es demasiado modesta, no hay exigencia y la gente pierde el interés. Como dijo el poeta, es como jugar tenis sin una malla.

En lo que a mí respecta hay algo de verdad en ambos postulados, y cuanto más leo sobre motivación y establecer metas, más me convenzo de ello. Así que, para resumir mis hallazgos, he diseñado algo que se llama la 'curva de motivación invertida'.

Todo parece indicar que si existe el 100% de probabilidades de éxito, no se genera mucha motivación. Por otra parte, si no hay bastantes probabilidades de éxito, tampoco existe mucha motivación. El punto máximo de motivación parece estar en el área donde hay una gran probabilidad de lograr el éxito, pero donde también hay cierto riesgo y desafío implicados.

La curva se ve algo similar a la siguiente figura. Tony dibujó rápidamente otro diagrama en el tablero:

Habiendo dedicado a esto mucho pensamiento, prefiero sugerir que la mejor manera de fijar metas es mediante cubrir varias bases al mismo tiempo. En primer lugar, establezca con la persona el nivel mínimo de desempeño que se debe alcanzar en todas las áreas. A

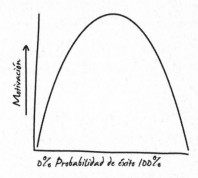

continuación fije metas de forma proporcionada en una, dos o tres áreas. Esto suministrará las dos clases de motivación: la satisfacción de alcanzar las metas más fáciles y el desafío de intentar lograr las más difíciles.

Tomemos a un padre y a un hijo como ejemplo. Lloyd, vamos a suponer que estás intentando hacer que Lori fije su vista un poco más alto. Digamos que ella está obteniendo como calificación sólo Des. Tú pudieras decir, '¿qué hay si intentamos conseguir al menos una C en todas tus asignaturas, y a la vez le apuntamos a una B en al menos dos materias?' O también pudieras sugerir que ella intentara obtener no menos de 75 puntos en todos los exámenes y al menos 85 en dos de ellos, durante el siguiente período de prue-

> "El punto máximo de motivación parece estar donde hay una probabilidad alta de alcanzar el éxito, y sin embargo, también existe algo de riesgo y desafío implicados".

bas. Esto le da a ella algunos objetivos bastante alcanzables y unos pocos un tanto más exigentes.

Pensando en otro ejemplo, hablemos de las ventas. "Mary, ¿qué métrica usarías para fijarle metas a tus representantes de ventas? ¿Volumen de ventas? ¿Un número determinado de clientes nuevos?" Mary reflexionó por un momento: "Yo diría que volumen de ventas y un buen margen de utilidad, así como un número de órdenes estable, y por supuesto, clientes satisfechos".

"Tomemos un ejemplo de la vida real", dijo Tony. "Danos algunas cifras que puedan representar metas fáciles de alcanzar, es decir, metas donde hayan mejoras dosificadas".

Mary se detuvo un momento para escribir algunas cifras en su libreta de apuntes. "En mi negocio, yo diría que una meta pequeña para los representantes de ventas podría ser USD $100.000 mensuales, con un flujo de 3.000 órdenes promedio y un margen neto del 20%; y un nivel de satisfacción de los clientes por encima del 4.0 en una escala de uno a cinco puntos".

Muy bien, ahora apliquemos lo que sabemos respecto a la curva de motivación invertida. En primer lugar, ustedes concuerdan con sus representantes de ventas en que estas son metas razonables, que se pueden alcanzar de una forma relativamente fácil. Entonces le puedes pedir a Marvin —digamos que estamos hablando con él aquí— que escoja dos áreas donde él pudiera estirarse un poco. Supongamos que él escoge el volumen de ventas y el margen neto. Tú hablas con él y haces que se comprometa con USD $135.000 al mes antes del primero de noviembre. Marvin concuerda con aumentar su margen neto de su actual 19% a un 22% para el 15 de julio.

Y tal como Lloyd lo hizo con Lori, has dejado claro con Marvin de cuáles resultados él es responsable. En el caso de Lloyd, siempre y cuando Lori obtenga resultados entre 75 y 85 puntos en sus próximos exámenes, se puede decir lo siguiente: primero, ella está logrando una medida de éxito en sus estudios; y segundo, hay campo para mejorar. Esas son dos cosas muy importantes que se le pueden decir a una persona.

Lo mismo aplica a Marvin. En la medida en que él esté entre USD $100.000 y $135.000 al mes y su margen neto permanezca entre el 20% y el 22%, puede dársele estímulo elogiando su éxito, y a la vez ánimo para continuar mejorando en pro de lograr los resultados más altos.

"Así que, Mike, si tu pregunta es respecto a poner metas grandes y pequeñas —mi respuesta es afirmativa". En ese momento Mike y Janet se echaron a reír mientras que los demás sonrieron.

Nunca lograré enfatizar suficientemente la importancia de las metas. Con frecuencia encontramos que la gente no logra un buen desempeño debido a que las personas no saben qué es lo que se espera de ellas. Los líderes piensan que han comunicado exactamente lo que esperan que la persona haga, pero si se le pregunta al empleado, al estudiante o al niño, de qué es responsable, la respuesta pudiera ser bastante diferente.

"¿Ha experimentado alguno de ustedes este tipo de malentendido?"

"En efecto," contestó Carlos. "Hace 10 años, yo trabajaba para un hombre que siempre se enfurecía conmigo por no hacer ciertas cosas, pero eran cosas que yo no sabía que debía hacer. No saber lo que se espera de uno es como estar recibiendo golpes en una lucha de la cual uno no sabía que hacía parte. Desde esa experiencia, he tratado de ser muy cuidadoso de informar a mi gente lo que espero de ellos".

"Eso es exactamente lo que debes hacer. Y aquí hay un test que permite saber qué tanto coinciden tú y la otra persona respecto al nivel de desempeño esperado. Este es un test bastante sencillo que se compone de tres partes. Se ajusta perfecta-

> "Con frecuencia encontramos que la gente no logra un buen desempeño debido a que muchos no saben qué es lo que se espera de ellos".

mente a cada uno de ustedes los aquí presentes. Leámoslos juntos".
Al instante, Tony entregó a cada participante una hoja de papel:

TEST DE SINTONÍA

En una hoja de papel escriba las respuestas a las siguientes preguntas respecto a un empleado, hijo o estudiante:

¿Cuáles son las áreas clave de responsabilidad de esta persona?

En cada una de estas áreas, ¿cuáles son los indicadores de desempeño que deben utilizarse para medir los resultados?

Para cada indicador, especifique el nivel de desempeño que se espera que la persona alcance y la fecha en que usted considera que se debe alcanzar.

Sin revelar sus respuestas, pídale a su empleado, hijo o estudiante que conteste las mismas tres preguntas.

Compare sus respuestas. Si estas no concuerdan, usted tiene un problema. Es muy poco probable que la persona pueda hacer lo que usted espera de ella.

"Tony, creo que entiendo lo que quieres decir", dijo Janet con entusiasmo. "Si yo quiero mejorar el desempeño de mi equipo, no sólo necesito identificar el trabajo del que somos responsables como equipo, sino que también necesito establecer las medidas con las que hemos de trabajar en el equipo".

"Correcto, y también puedes seguirle la pista a unos cuantos indicadores que te permitan controlar que los asuntos transcurran de forma armoniosa. En las ventas, por ejemplo, si tu representante de ventas alcanza la meta mensual de volumen de ventas, hay posibilidades de que el promedio de órdenes aumente también.

A través de los años, muchísimas personas de todo tipo de organizaciones y de distintos niveles de responsabilidad han tomado este test. Cuando hemos comparado los resultados, hemos encontrado que tanto la persona que administra el test como quien que lo toma, por lo general responden a las preguntas con una diferencia del 25%. De la misma manera, hemos examinado esos casos y hemos encontrado que muy raras veces se ha tenido una discusión detallada de las metas y objetivos a alcanzar. No se han definido aspectos específicos de la responsabilidad, y no se ha definido la forma de medir el desempeño para cumplir la meta y la fecha en la que esta debería ser alcanzada.

Las implicaciones de esto son bastante serias. Si no hay consenso sobre lo que significa alcanzar el éxito, ¿cómo pudiera este siquiera alguna vez lograrse? ¿Cómo ser un líder eficaz si la gente bajo su responsabilidad no sabe de qué es responsable? Tal vez la razón por la que el comité escolar no está haciendo ningún progreso es porque no se han asignado responsabilidades para hacer posible el progreso. Carlos, tal vez tu equipo de producción no está logrando mayor desempeño porque tú y ellos tienen un concepto diferente de qué es la mejor calidad o de cómo se debe medir.

La razón por la que las personas no logran su mejor desempeño rara vez tiene que ver con negligencia deliberada —con frecuencia tiene que ver más bien con los malos entendidos. La persona no sabe qué es exactamente lo que se espera de ella. Con animar a alguien a hacer su mejor esfuerzo cuando ese alguien no sabe qué es lo que representa ese 'mejor esfuerzo', no se logra demasiado. Tal vez lo único que se consiga es que la persona trabaje más duro en la dirección de objetivos equivocados.

Es posible que ustedes hayan notado que ya empecé a hablar del siguiente ingrediente en la lista. Tomando un marcador Tony encerró en un círculo la frase "DESARROLLE PLANES DE ACCIÓN".

Los planes de acción —como lo mencioné antes— son la póliza de seguro que garantiza la llegada a la meta. Los planes de acción bosquejan todos los pasos, grandes y pequeños, que deben darse para cumplir los objetivos propuestos. Estos también pueden asemejarse a los ladrillos que componen una pared. Piensen en un plan de acción como el mapa del camino que escogen para llegar a un destino, junto con el método para llegar allá.

En béisbol, un jugador pudiera establecer para la nueva temporada la meta de elevar su promedio de bateado de .275 a .325. Los pasos a seguir implican pasar por lo menos una hora más al día entrenando y recibiendo mayor retroalimentación de parte del entrenador, además de dedicar más tiempo a analizar a otros pitchers y aumentar el ejercicio con pesas. Por supuesto, esos pasos deberán ser más detallados de lo que he mencionado.

En las ventas, es factible que su meta sea la de aumentar en un 25% las ganancias; a lo mejor sus pasos de acción incluyan obtener cinco nuevos clientes de alto consumo; también identificar dónde, entre las cuentas actuales, hay una oportunidad de obtener mayores operaciones, e instituir un plan de llamadas para contactar a los usuarios de estas cuentas, y establecer una estrategia similar para contactar todas las cuentas sobre cierto monto.

Para un estudiante, la meta de mejorar su desempeño en las calificaciones pudiera incluir estudiar durante un período mayor de tiempo, estudiar en un lugar o a una hora diferente, invertir una cantidad mayor o menor de tiempo a estudiar en grupos, o incluir algunas materias de cupo adicional. De nuevo, en esto se necesita ser más específico de lo que acabo de ser.

Aquí hay otro asunto importante para considerar. Hemos hablado de asignar responsabilidad, establecer metas, y desarrollar planes de acción. Todos estos se logran en diálogo con los individuos involucrados. ¿A qué idea nos lleva esto naturalmente? Una vez más, Tony se giró hacia el tablero y encerró en un círculo la palabra COMPROMISO.

Cuanto más comprometidas estén las personas en el desarrollo de sus metas, planes, y retroalimentación, más responsables se harán. Permítanme aclarar este punto.

En cierta compañía con la que trabajé, las áreas de control de calidad y producción permanecían en constante conflicto. El departamento de calidad conducía auditorías diarias en toda la planta y atribuía defectos a ciertos departamentos en particular. Pero ninguno de estos departamentos creía en los informes. Al contrario, presentaban la queja: 'Esos fastidiosos de calidad piensan que esto es un paseo y que pueden estar señalando defectos. Todo lo que pretenden es hacer que la planta se cierre. Uno puede encontrar cualquier cantidad de defectos en un producto si se pone a buscarlos, como lo hacen esos tontos'. En otras palabras, la energía de la organización se estaba invirtiendo en intentar probar que el otro estaba equivocado.

"De modo que cambiamos el sistema de retroalimentación para aumentar el sentido de compromiso de los empleados. Hicimos que los mismos empleados auditaran su propio desempeño de forma constante. Un supervisor y un empleado que trabajaba por horas, tomarían aleatoriamente cinco o seis productos fabricados por su propio equipo de trabajo, y los evaluarían utilizando los mismos criterios aplicados por el área de aseguramiento de la calidad. En tan sólo una semana, las cosas empezaron a mejorar. Ya que la gente empezó a revisar su propio trabajo y el de sus propios compañeros y colegas, comenzaron a darse cuenta cómo podía mejorarse la calidad del producto. Vieron los defectos que no habían visto antes, y lo que es más importante, empezaron a aceptar su parte de responsabilidad por tales defectos. Los líderes de equipo y empleados que se habían quejado de la gestión de control de calidad empezaron a trabajar para mejorar la calidad del producto.

Cuando yo le pregunté a uno de los empleados sobre la razón por la cual la calidad estaba mejorando, dijo: 'Control de calidad solía tomar las unidades de la línea de producción, examinarlas, marcar todo lo defectuoso, y enviar al jefe del departamento una nota diciendo que se estaba haciendo un pésimo trabajo. El jefe del departamento iba y reprendía al supervisor, el supervisor iba y reprendía a alguien y ese alguien venía y nos reprendía a nosotros. Creo que la mayoría de los defectos que encontraron ocurría más adelante en la línea de producción, usted sabe, algunos golpeaban el producto o le hacían rayones. La mayoría de los defectos eran causados por otras personas y se nos echaba la culpa a nosotros porque todo el mundo nos odia. Ahora, el nuevo sistema es bastante bueno. Tomamos turnos, y cada día alguien diferente trabaja con el líder del equipo chequeando el producto. Así, podemos evaluar de inmediato la forma como trabajamos, y si algo no está bien, podemos corregirlo. Sabemos cuando las cosas salen bien y cuando no, ya que nosotros mismos estamos haciendo la revisión. La verdad sobre el asunto es que nosotros sabemos más de la calidad del producto que el personal de control de calidad".

Así pues, mediante involucrar a los trabajadores directamente en el asunto del control de la calidad, aumentamos su sentido de compromiso. Este principio es fundamental respecto a cimentar la responsabilidad en cualquier tipo de trabajo. Cuando los estudiantes, enfermeras, representantes de ventas, miembros de equipo u otros, participan en el proceso de fijar las metas, desarrollando planes de acción tendientes a alcanzarlas, y suministrando su propia retroalimentación, se hacen más responsables de producir los resultados esperados. Y esto es cierto tanto en el ámbito laboral, como en la escuela y el hogar.

> "Podemos evaluar de inmediato la forma como trabajamos, y si algo no está bien, podemos corregirlo".

Lo anterior no implica que como profesor, líder de equipo, padre o presidente corporativo tengan que dejar que todos fijen sus propias metas. Ustedes mismos tendrán que fijar los objetivos generales, o asignar a un equipo ejecutivo que fije los planes estratégicos. No obstante, luego podrán trabajar en una modalidad más particular involucrando a todos en el esfuerzo.

Su opción de solicitar cooperación dependerá de la situación misma, las personas involucradas y el estilo de liderazgo ejercido por ustedes.

Si tienen colaboradores, personal administrativo o estudiantes que ya estén altamente motivados, encontrarán que casi siempre ellos mismos fijan objetivos más altos para sí mismos de lo que ustedes alguna vez habrían soñado. Todo lo que necesitan es salirse de su camino y verlos progresar.

Hasta las personas que se desempeñan muy por debajo de su potencial, pueden establecer metas más altas, de lo que usted esperaría. A veces estas personas se fijan metas tan altas que al final no se animan a sentirse comprometidas. Allí es donde la curva de motivación invertida puede ser útil. Reconozcan que la meta es demasiado ambiciosa y a continuación pregunten qué meta podría ser absolutamente alcanzable. Así ustedes conseguirán el efecto alto-bajo, que a su vez, aumentará el sentido de compromiso de ellos.

"En otras ocasiones ustedes deberá involucrarse más activamente en el diseño de las metas. Cuando lo hagan, permitan que sus colaboradores tomen la iniciativa en desarrollar planes de acción para alcanzar las metas. "Mike, si estás hablando con un estudiante, pudieras decirle: 'Billy, ¿qué se necesita para conseguir un puntaje de 90 puntos en dos de tus próximos exámenes?'. A continuación tú y Billy diseñan los pasos necesarios. Mary, cuando estés hablando con Marvin o con Pat, puedes pedirle que imaginen —también pueden hacerlo juntos— los pasos para incrementar las ventas y al mismo tiempo el porcentaje de margen neto".

Ya han escuchado bastante sobre la creatividad y las lluvias de ideas, ¿no es así? Aquí es donde ello aplica, en el desarrollo de planes de acción. No hay nada particularmente creativo con fijar metas. La verdadera creatividad se manifiesta cuando se organiza el plan de acción, el cual le ayudará a alcanzar dichas metas. Y para evitar que más adelante surjan malos entendidos, no olviden poner por escrito su plan de acción.

Janet preguntó: "¿Y la gente si está dispuesta a asumir ese tipo de responsabilidad?"

"Es probable que algunos no, pero la mayoría sí. El mensaje que la gente transmite con respecto al tema de la responsabilidad es 'Permítame saber qué es lo que usted quiere que yo haga, asígneme la responsabilidad de lograr resultados, y luego, sálgase de mi camino'".

"Bien, esa es precisamente la manera en que me gusta que me traten. Supongo que eso también aplica a otras personas", dijo Janet.

> "El mensaje que la gente transmite con respecto al tema de la responsabilidad es 'Permítame saber qué es lo que usted quiere que yo haga, asígneme la responsabilidad de lograr resultados, y luego, sálgase de mi camino'".

Eso no es tan excitante como hablar de expectativas altas, ¿no es así? No hay misterio ni magia al respecto. Es seguro. Si comparamos esto con hacer que otros se energicen, se motiven respecto a alcanzar metas o elogiar su propio trabajo, hacerlos responsables es algo un poco menos interesante. Pero es un componente crucial para sacar a relucir lo mejor en los demás.

"Muy bien, hagamos un receso para almorzar", dijo Tony. "Aliméntense bien, porque esta tarde vamos a hablar acerca del último de los tres elementos: la retroalimentación".

LA
RETRO
ALIMENTACIÓN

El enfoque de la autoconsciencia

Retroalimentación. Todos sabemos lo que significa, ¿no es así? La retroalimentación es información que recibimos que nos indica qué tan bien lo estamos haciendo. Giramos el volante y sentimos que el automóvil toma la curva. Presentamos un examen en la escuela y comprobamos qué tan bien hemos aprendido la asignatura. La retroalimentación nos ayuda a mantenernos en el camino y a lograr progresos en avance a nuestra meta.

Pero, como descubriremos, la retroalimentación puede provenir de muchas maneras. Vamos a hablar de tres tipos básicos de retroalimentación que son esenciales para sacar a relucir lo mejor en los demás. Estos son la retroalimentación motivacional, la retroalimentación informativa y la retroalimentación de desarrollo.

No hace mucho tiempo en un taller sobre liderazgo en las ventas para una firma farmacéutica, estaba describiendo la diferencia entre la retroalimentación motivacional y la retroalimentación informativa. La retroalimentación motivacional, dije, es como vitorear a un equipo de fútbol. La motivación informativa es como la línea de marcación, esta suministra a los jugadores y a los hinchas la forma de medir el progreso hacia la línea de meta. La información es buena, pero no es suficiente. Los aplausos y los vitoreos son lo que más anima a los jugadores.

En ese momento, uno de los participantes del taller dijo: Sabe, acaba de ayudarme a entender algo que antes no había entendido. Hace unos tres meses, durante una reunión con mis gerentes de ventas distritales, les pedí que se encerraran en una sala por dos o tres horas y decidieran qué querían que yo hiciera, dejara de hacer o hiciera de forma diferente para ayudarles a mejorar en sus trabajos. Una de las cosas que ellos dijeron que querían de mí era tener más retroalimentación. ¡Yo no podía creerlo! Yo me reúno con ellos, hablo con ellos por teléfono; examino los informes con ellos personalmente; viajo con ellos; les comparto información sobre el mercado de parte de la oficina central; les reenvío correos electrónicos. Lo que yo pensaba era que los estaba sobrecargando con retroalimentación.

Pero lo que usted acaba de mencionar respecto a las diferentes clases de retroalimentación abrió mis ojos. Ellos no querían más información, ¡ellos querían más motivación! Ellos desean que yo les diga que están haciendo un gran trabajo. Todo lo que estaba haciendo era compartir información con ellos; y aunque esa es una parte importante de mi trabajo, también es importante utilizar esa información como fundamento del refuerzo que le indica a alguien que está haciendo un buen trabajo.

Tony continuó: Entonces se me preguntó qué era la retroalimentación de desarrollo. Yo expliqué que era la acción correctiva que se toma cuando alguien no está desempeñándose de acuerdo a lo es-

> "Usted tendrá que confrontar el rendimiento bajo, pero necesitará hacerlo de una forma en la que se cree el sentido de compromiso en vez de generar una obediencia rencorosa o resistencia declarada".

perado; por ejemplo, cuando el líder de un departamento no se está desempeñando como debería hacerlo, un representante de ventas que necesita estar el 10% ó 15% más alto, un estudiante cuyas notas no son tan buenas como deberían.

Aquí es donde se deberá aplicar la 'confrontación de apoyo al rendimiento bajo'. Usted tendrá que confrontar el rendimiento bajo, pero necesitará hacerlo de una forma en la que se cree compromiso en vez de generar una obediencia rencorosa o una resistencia declarada.

CAPÍTULO SEIS

LA RETRO ALIMENTACIÓN MOTIVACIONAL

La forma de acelerar el progreso

Hace un minuto, comparé la retroalimentación motivacional con el vitoreo de apoyo que un equipo de fútbol experimenta cuando va avanzando por el campo de juego. La retroalimentación motivacional puede adoptar tres formas básicas. Los hinchas pueden vitorear insistentemente y de forma muy vigorosa, pero también pueden abuchear si no están satisfechos con los resultados; y también pueden sentarse pasivamente como si nada ocurriera.

Lo mismo puede ocurrir en otras esferas de desempeño. Si un representante de ventas demuestra una mejora en su desempeño, uno pudiera hacer un reconocimiento de ello; pero también pudiera criticarlo y decirle que lo pudo haber hecho aún mejor; o quizás, no decir nada. Lo mismo aplica a cuando un niño aprende una canción, o a cuando un estudiante aprende a hacer mejores informes, o la calidad de su trabajo en equipo mejora, o cuando una persona o un grupo de personas hacen algún progreso hacia una meta. Ocurre con frecuencia: alguien tiene una conducta apropiada y recibe retroalimentación positiva o negativa, o ninguna clase de retroalimentación.

Entonces Tony dejó de hablar. Se sentó con sus pies apoyados en una silla vacía, mostrando una risa intrigante. Luego miró alrededor de la sala. "Esta mañana alguien me contó una gran chiste. ¿Alguien quiere escucharlo?".

Los demás presentes en la sala sonrieron a Tony y asintieron. Lloyd dijo, "¡Adelante!".

"No sé si lo pueda contar", dijo Tony, sacudiendo su cabeza. "Siempre que me acuerdo del chiste me río", y empezó a reírse. Pronto empezó a reírse con intensidad, intentando cubrir sus ojos con sus manos. La mayoría de los estudiantes estaban divertidos, riéndose también, a la vez que un poco perplejos.

"Denme un minuto, denme un minuto", dijo Tony reteniendo sus risas. "Esto es jocoso. No puedo dejar de reírme para contarlo. ¿Alguien quiere contar un chiste?".

Las risas cesaron y el salón se aquietó. Todos estaban aún sonriendo, pero por un minuto nadie habló.

Entonces Mike dijo, "Muy bien, habían dos vagabundos...".

"Espera", interrumpió Tony. "No quiero empezar a reírme otra vez. Una vez comienzo no puedo parar. Hagámoslo de la siguiente manera. Cada uno de ustedes escribe el chiste más divertido que recuerde sobre una hoja de papel y me la entregan. Entre más corto, mejor. Pongan su nombre en la parte superior de la hoja. Les daré un minuto".

Mike, Lloyd y Janet empezaron a escribir casi de inmediato. Mary miraba a su alrededor de forma ansiosa; Carlos se rascaba su mentón. De repente, ambos empezaron a escribir.

"Entréguenme la hoja cuando terminen", dijo Tony sonriendo. "Quiero verlos antes de que los contemos, ¿de acuerdo?". Mirando dudosos, acataron la instrucción. Tony leyó el chiste que estaba en la primera hoja, y enseguida se echó a reír. "¡Ese está muy bueno, Janet! ¡Gracias! Espera un minuto y lo cuentas a los demás. ¡Se van a caer de la risa!" Janet se rió con entusiasmo.

Tony miró la siguiente hoja de papel y la leyó en silencio, en seguida frunció el ceño. "Mike, creo que no me entendiste. Este no es muy divertido. Lo siento. Tal vez deberías intentarlo de nuevo". Y devolvió la hoja a Mike, quien se observó colorado pero no dijo nada.

"Veamos lo que escribiste, Carlos". Tony leyó la hoja de Carlos. Su expresión facial no cambió. Cuando terminó de leer, puso el papel de Carlos sobre la mesa y no dijo nada. Ignorando a Carlos, miró a Mary. "Bien, veamos el chiste de Mary". De nuevo leyó en silencio, y sin dar respuesta, colocó la hoja de Mary en la mesa, junto a la de Carlos.

Enseguida miró el último chiste, el de Lloyd, y lo leyó para sí mismo. La tensión se apoderó de la sala. Y de nuevo, no dijo nada. Sólo puso el papel junto a las otras hojas y se sentó a mirar a los asistentes sin ninguna expresión en su rostro. Luego de unos segundos interminables, Tony se rió de nuevo, y empezó a reírse cada vez con más fuerza. Los demás, excepto Mike, empezaron a reírse con nerviosismo.

De repente, Tony dejó de reírse y dijo, "Rápido, alguien, ¿qué estoy haciendo?"

Luego de un momento, Janet y Mary dijeron al unísono: "¡Retroalimentación!"

"¡Exactamente!", dijo Tony. "Acabo de darles tres tipos de retroalimentación motivacional. Y voy a contarles un secreto: Mentí.

Yo no leí sus chistes. Sólo fingí leerlos. Porque sé que todos son bastante divertidos. No importa. Lo que importa es la retroalimentación que les di.

"Janet, parecías feliz cuando me reí por tu chiste. Te hizo sentir bien, ¿no es así?".

"Así es", exclamó. "Sólo espero que sea tan divertido como querías".

"Bien, luego vamos a circular los chistes y cada uno tomará su propia decisión. Pero la retroalimentación positiva que les di los hizo sentir, al menos por un segundo o dos, como si estuvieran en una comedia *stand-up*, ¿no fue así? Vamos, ¡admítanlo!"

"Eso es justo casi lo que digo", dijo Janet sonriendo.

"Y Mike. Mi reacción seguramente te irritó, ¿no fue así?".

"Bueno… sí, supongo que sí. Me alegra que no haya sido en serio, porque si lo preguntas, fue bastante desafortunado".

"Seguro que sí. Lo que estaba ejemplificando era el tipo de retroalimentación negativa. Pero cuando te critiqué y te pedí que lo intentaras de nuevo, ¿sentiste al menos de forma temporal un deseo de decirme 'demuéstremelo'?"

"Así fue", contestó Mike. "Y también un deseo de estrujarte".

Todos se rieron. Tony dijo: "¿Qué hay de ti Carlos? ¿Qué sucedió contigo cuando 'leí' tu nota?".

"Bien, por supuesto me sentí decepcionado. Me sentí como si mi chiste fuera tan malo que no mereciera tener ninguna respuesta. Para ser sincero, sentí falta de respeto. Mike recibió una crítica, pero yo ni siquiera califiqué para eso. Definitivamente no fue una buena sensación".

"¿No te enfadó eso?".

"No tanto, enfado. Más bien una sensación de estar en el limbo. No supe si sentirme airado o culpable por mi chiste, ¿había estado tan mal o qué?".

"¿Te sentiste energizado?".

"No", dijo Carlos. "Tuve la sensación de sentirme agotado y confundido. Sin saber cómo reaccionar".

"Lo mismo ocurrió conmigo, Tony, dijo Mary. "No podía entender qué era lo que estabas pasando. No parecía que fueras tú. Por un momento pensé que había hecho algo terriblemente mal".

"¿Hubieras preferido la forma como traté a Mike?", preguntó Tony.

"Bueno... creo que sí. Al menos hubiera sabido donde pararme, y como sentirme al respecto".

"Espera un minuto, Tony", dijo Lloyd. "¿Quisiste decir que mi broma apesta?". Todo el mundo se echó a reír.

"Debo hacer una confesión, Lloyd", pausó por un momento Tony.

"Yo leí la tuya. Me esforcé por no reírme, pero no me pude contener". Todos se rieron y Lloyd se mostró complacido.

"Este es el punto que estaba demostrando", dijo Tony. Se giró y escribió en el tablero:

RETROALIMENTACIÓN POSITIVA = REFUERZO

La retroalimentación positiva es energizante. Valida tus esfuerzos. Te hace sentir que has logrado algo, y te hace querer alcanzar logros mayores. Todo el mundo lo ha experimentado alguna vez, y todo el mundo sabe que funciona. Por eso es que los buenos líderes utilizan la retroalimentación positiva como forma de refuerzo en cada oportunidad en la que pueden hacerlo.

De nuevo, Tony se volvió hacia el tablero:

RETROALIMENTACIÓN NEGATIVA = CASTIGO

La retroalimentación negativa también es energizante, pero de una forma diferente. Cuando a alguien se le dice de forma negativa que no ha logrado lo que se espera de él, en realidad se le está castigando. El resultado es con frecuencia un esfuerzo renovado de hacer las cosas mejor. Pero eso no siempre funciona así. Algunos líderes utilizan la retroalimentación negativa cuando el desempeño ha mejorado, si este no ha mejorado tanto como el líder esperaba. A veces esto funciona, pero con frecuencia hace sentir a la persona como si se le estuviera castigando por intentarlo. Y, ¿qué sucede con las personas a las que consistentemente se les castiga por intentarlo? Es correcto, eventualmente, dejan de intentarlo.

Finalmente, Tony escribió:

SI NO HAY RETROALIMENTACIÓN,
SE PRODUCE LA EXTINCIÓN

La tercera forma de recibir retroalimentación motivacional es la extinción, es decir, no dar ninguna retroalimentación en absoluto. La extinción, como ustedes lo han experimentado, es un castigo aún más devastador que la retroalimentación negativa. Es el tipo de respuesta menos motivadora hacia cualquier acción. Obviamente, si usted ignora el mal desempeño de alguien como si ni siquiera hubiera ocurrido, ese desempeño va a repetirse y hasta va a empeorar. No obstante, de una forma no tan obvia, si usted no responde de alguna manera al buen desempeño de alguien, aunque su mejora sea apenas perceptible, usted va a extinguir su motivación para continuar mejorando. La persona ha hecho un esfuerzo adicional para mejorar, pero su esfuerzo no se le ha reconocido.

Ahora permítanme preguntarles: ¿Cuál de los ya mencionados es el tipo de retroalimentación que más comúnmente solemos dar cuando alguien hace algún tipo de mejora? Así es, el de la extinción.

A todos nosotros nos gusta la atención. Si no recibimos buena atención, entonces aceptamos la mala atención. Pero lo más difícil de aceptar es la falta total de atención.

Eso hace que surja la pregunta: ¿Por qué tantos de nosotros como líderes, pareciera que hiciéramos las cosas al revés? Estamos demasiado atentos y listos a criticar cuando alguien comete errores. A veces elogiamos a otros cuando un desempeño notable capta nuestra atención. Pero lo peor de todo, cuando alguien hace algo bien, o cuando alguien resulta confiable todo el tiempo, o cuando alguien trabaja duro y hace un progreso constante, con frecuencia no decimos ni hacemos nada en absoluto.

La mayoría de nosotros conoce la diferencia entre refuerzo y castigo. Pero la mayoría de nosotros no somos conscientes de lo terrible que es la retroalimentación de extinción y de lo devastadora que puede ser.

> "La mayoría de nosotros no somos conscientes de lo terrible que es la retroalimentación de extinción y de lo devastadora que puede ser".

Si luego de salir de este seminario ustedes no recuerdan nada más, quiero que salgan de aquí con un sólo principio en la mente: sacar a relucir lo mejor de los demás implica reforzar las mejoras, incluso si estas todavía no se han hecho efectivas.

¿Cómo así? Una vez que se ha iniciado un patrón de comportamiento, sólo se necesita una pequeña cantidad de refuerzo para mantener el curso. Los hábitos son como los automóviles; es difícil iniciar el recorrido, pero una vez está andando en la carretera, sólo implica ejercer una pequeña presión en el acelerador y este se mantiene andando. Pero si se deja de presionar el acelerador, el automóvil se detiene. De la misma manera, si se deja de reforzar el comportamiento deseable, ese comportamiento se detendrá, a menos que, por supuesto, sea reforzado de parte de otra fuente".

> "Sacar a relucir lo mejor de los demás implica reforzar las mejoras, incluso si estas todavía no se han hecho efectivas".

Carlos dijo: "Tony, a menos que me esté perdiendo de algo aquí, tengo un problema con lo que estás diciendo. No me imagino a un supervisor caminando a lo largo de la línea de producción diciendo: 'Vaya, esta es una buena tanda de papeles la que ustedes están produciendo', sería el hazmerreir de la planta".

"De acuerdo", dijo Tony. "El refuerzo tiene que concordar con el momento, el lugar, el suceso y con las personas implicadas. El refuerzo que resulta apropiado con una persona en una situación determinada pudiera no ser el apropiado con otra persona bajo las mismas circunstancias, o para la misma persona en circunstancias diferentes.

El refuerzo positivo no tiene que ver con pintar corazones y regalar flores, y ser agradable con la gente. Más bien, tiene que ver con dar retroalimentación que motive a las personas a continuar llevando a cabo su cometido. ¿Recuerdan al instructor guardabosques que mencioné antes? Él tenía la misma pregunta. Y mi respuesta para él fue similar a lo que les estoy contestando ahora. Le dije que debería utilizar el refuerzo positivo con más frecuencia, pero de una forma que aplicara más directamente a los soldados, y lo mismo debe ser cierto cuando se trabaja con el personal de un hospital o con los estudiantes en un salón de clase.

Qué hay si un supervisor abordara a alguien en una línea de producción y dijera: 'Joe, quiero que sepas que tu buen trabajo no pasa desapercibido, tú eres uno de nuestros mejores operadores, y apreciamos el papel fundamental que desempeñas en mantener la calidad y la productividad'. Y si es alguien a quien se ha tratado por varios años y con quien se tiene confianza, 'Frank, nadie que te viera imaginaría que haces el gran trabajo con gran diligencia y productividad. ¡Continúa haciéndolo así!'. Si es alguien tímido a quien no le gusta ser objeto de atención en público, se le pudiera dar o dejar una nota personal en el buzón, o si va a recibir un bono, una nota en su sobre de pago".

"Bien, eso tiene sentido", dijo Carlos. "Yo he dado bonos antes, pero una nota de agradecimiento es un buen detalle. Intentaré hacerlo la próxima vez".

"Pero no dejes que pase mucho tiempo, Carlos". Ese es mi siguiente punto, y el primero de cinco principios que quiero compartir con ustedes respecto a la retroalimentación positiva. Vamos a considerar los cinco, de modo que pueden tomar un descanso. Si los desean anotar, los voy a escribir en el tablero en este mismo instante:

1. Refuerce de inmediato.

2. Refuerce cualquier mejora, no sólo la excelencia.

3. Refuerce de forma específica.

4. Refuerce los nuevos comportamientos de manera continua.

5. Refuerce los buenos hábitos intermitentemente.

Como lo estaba mencionando a Carlos: para ser más eficaz, se debe reforzar el desempeño tan pronto como sea posible. Cuanto más inmediato se dé, más poderoso será. Ocurre con mucha frecuencia que la retroalimentación positiva se da un día, una semana, un mes, seis meses, o un año después de que ha ocurrido el comportamiento que se desea reforzar. Cuando eso sucede, no se logra mucho efecto con el refuerzo otorgado. Puede ser que te haga sentir bien darlo, y que haga al receptor sentirse bien, pero no se consigue mucho en cuanto a que el individuo continúe con el comportamiento deseado.

Por esto es que las revisiones sobre desempeño no logran tener un impacto permanente en el comportamiento del individuo. Transcurre un lapso de tiempo muy largo. Por supuesto, esas felicitaciones pueden causar un sonrojo de orgullo, o si son negativas, algo de irritación, pero el efecto es de corto efecto. Si Joan no hizo un buen trabajo en preparar el informe el martes, no se logra mucho si se le hace caer en cuenta de ello cuatro semanas después. Dígaselo el martes o el miércoles, cuando el informe aún esté fresco en la mente de ella, y en la suya.

Lo mismo aplica a las calificaciones, "Mike. Para el momento en el que se publican las notas escolares, el estudiante ya debería saber aproximadamente cuales van a ser sus calificaciones. Así estarás dando retroalimentación en tiempo real. Recuerda, también, que la tarjeta de calificaciones es sólo retroalimentación informativa; pero que lo que tú debes dar en el día a día es retroalimentación motivacional. Cuando devuelvas una prueba escrita con una B de calificación, deberías decir: 'Dave, noté que tu ortografía está mejorando. Eso demuestra que estás trabajando duro sobre el tema. Continúa haciéndolo así'".

"Janet, la retroalimentación inmediata pudiera implicar decir a una de las enfermeras del primer turno, 'Peg, noté que estás dando información útil a los del segundo turno, lo cual está redundando en una mejor atención de los pacientes. Eso es muy apreciado'".

"Lloyd, para ti implica notar las cosas que tu hija está haciendo bien —aunque sus notas no sean tan buenas como se espera— y se deben reforzar esos comportamientos positivos una vez estos ocurren. Por ejemplo, si tú la encuentras estudiando, pudieras decir: 'Lori, se ve que estás invirtiendo más tiempo a tu estudio y a tus tareas. Eso es fantástico porque es la clase de trabajo que hace la diferencia. Te va a ayudar mucho para tu próximo examen, pero aunque no resultara así, se que te traerá recompensas a largo plazo'".

Decirle esto a Lori tiene efecto de dos maneras. Primero, a nivel cognitivo: Lori hace una conexión intelectual entre lo que está haciendo y el impacto en sus calificaciones a corto plazo o en la nota final. Y en segundo lugar, a nivel inconsciente, Lori asocia estudiar con un evento positivo, el refuerzo. Y aquí es donde ocurre la formación del hábito, mediante elogiar su comportamiento estás reforzando la formación de los buenos hábitos.

"Lloyd, probablemente hayas notado que lo que acabo de decir, tiene implicado algo del segundo principio: refuerce cualquier mejora, no sólo la excelencia. Esto es particularmente importante cuando se están intentando vencer los malos hábitos para reemplazarlos con buenos".

El problema, como lo dije antes, es que generalmente hacemos un buen trabajo reforzando la excelencia, pero un trabajo muy pobre al reforzar las mejoras pequeñas. Hacemos una gran cosa cuando ocurre algo sobresaliente y le dejamos saber a Lori cuán complacidos estamos de que haya conseguido una A en un examen y cuando el trabajo de equipo del departamento se ha destacado, pero no decimos mucho, si acaso algo, a la persona que está logrando algún progreso aunque no haya alcanzado todavía el nivel que deseamos. Dar felicitaciones por algo pequeño no es algo que surja en nosotros de forma natural.

"Lloyd, digamos que Lori está obteniendo únicamente Des como calificación y a ti te gustaría ver Bes y Ces. ¿Hay alguna asignatura donde ella este obteniendo consistentemente Des?".

"Sí", dijo Lloyd. "Ella usualmente obtiene Des en matemáticas".

"¿Ha conseguido alguna vez una C en un examen de matemáticas?".

"Casi nunca".

"¿Alguna vez ha conseguido una C?", persistió Tony.

"Bueno, de forma muy ocasional", dijo Lloyd.

"¿Cuándo fue la última vez?".

"Hace como un mes, creo".

"Y exactamente, ¿qué hiciste?"

Lloyd permaneció en silencio y se sentó mirando hacia la mesa. Luego sacudió la cabeza y dijo, "No hice nada".

"¿Comprendes lo que has estado haciendo?", preguntó Tony.

"Ahora lo comprendo. ¿Cuál fue el término que utilizaste, extinción?".

"Eso es, exactamente. Estuviste extinguiendo sus progresos. La extinción es nuestra respuesta más común y devastadora".

"Entonces, ¿qué debería hacer?" dijo Lloyd, "¿debería felicitar a Lori cuando vea un ligero progreso?".

> "La extinción es nuestra respuesta más común y devastadora".

"Así es, y podrías analizar con ella qué fue lo que hizo diferente para obtener ese mejor resultado. Si ella está encontrando fácil levantarse ahora más temprano y estudiar antes de ir a clases, dile que la vas a apoyar ayudándole a despertarse más temprano para prepararle el desayuno y llevarla a la escuela antes que las clases inicien para que ella se pueda beneficiar de la biblioteca escolar. Apoya las buenas decisiones que ella tome, y anímala a seguir tomando nuevas buenas decisiones".

"Supongo que soy culpable de lo mismo", dijo Mary.

"Cuando tengo conversaciones francas con Marvin, usualmente es porque su desempeño ha desmejorado. De modo que, cada vez que vea alguna mejora, por pequeña que sea, ¿debería hablar con él y felicitarlo?".

"Básicamente, sí", dijo Tony. "Cuéntale que aprecias el esfuerzo que él está haciendo en su trabajo. Dile sobre el buen ejemplo que él está dando a los representantes de ventas más novatos".

"Tony, a mí me encantaría saber poner en práctica lo que estás sugiriendo", dijo Mike. "Pero tengo a veintiocho estudiantes en mi clase. Si dedicara tan sólo tres minutos a cada estudiante tomaría hora y media al día hacer eso. ¿Cómo hago para dar estímulo a todos mis estudiantes todos los días?".

"Sí, tu trabajo es particularmente difícil, Mike, porque no estás animando a los estudiantes a aprender como parte de una meta corporativa. Tu meta es aprender porque sí, y cada estudiante representa un conjunto singular de metas personales.

No obstante, dar retroalimentación inmediata no significa necesariamente dar retroalimentación instantánea o cara a cara. Si el resultado de un examen fue particularmente bueno en el caso de un estudiante, escribe una nota de felicitación en el papel antes de devolverlo, resalta sus cualidades. Otros maestros han encontrado otras maneras prácticas de dar retroalimentación positiva, como por ejemplo, en los comentarios diarios que hacen en general a sus estudiantes.

La otra cosa clave es recordar que se deben reforzar las pequeñas mejoras. En mi experiencia, los profesores, como las demás personas, son buenos en dar retroalimentación por los logros sobresalientes, pero un poco menos dispuestos a dar refuerzo cuando se hace un progreso menos perceptible. Si quieres mejoras mayores, entonces debes reforzar los progresos menores".

> "Si quieres mejoras mayores, entonces debes reforzar los progresos menores".

También recuerden, aunque es mejor dar refuerzo positivo cara a cara, eso no siempre es posible. En algunas ocasiones ustedes encontrarán práctico dar retroalimentación vía telefónica, mediante mensajes de voz o del correo electrónico.

La sala estuvo en silencio por un momento. Tony miró a Carlos: "Te ves escéptico".

"No estoy seguro si concuerdo con todo esto", dijo Carlos. "Verás. Yo le pago a la gente para que haga un buen trabajo, de modo que ellos deberían hacer un buen trabajo. ¿No debería constituir el pago de la nómina suficiente refuerzo para ellos? Yo les pido a mis gerentes que entreguen informes completos, concisos y bien organizados. Ellos entienden que eso hace parte de su trabajo. Yo les pago para que entreguen buenos informes; yo espero que rindan buenos informes, ¿Por qué debería yo dejar mi postura para ir felicitándolos por hacer aquello para lo cual se les paga?".

"¿Y todos ellos entregan buenos informes?", preguntó Tony.

"No, algunos informes podrían mejorar".

"¿Y la gente que entrega informes por debajo de lo esperado recibe salario?".

"Sí".

"Bien", dijo Tony, "Eso suena a que le estás pagando a algunos para no entregar buenos informes".

"Eso no es así", dijo Carlos. "Supongo que no lo supe expresar. Yo les pago para que entreguen buenos informes. Es sólo que algunos no lo hacen".

"Deja de verlo de forma personal, Carlos, y miremos el asunto desde otra perspectiva. Desde el punto de vista del comportamiento están sucediendo dos cosas: la primera, la gente está entregando informes que son menos que satisfactorios, y la segunda, se les está pagando. En conclusión, desde el punto de vista del comportamiento, tú estás en efecto, pagándoles por no entregar buenos informes".

Carlos se quedó en silencio por un momento. "Eso no me gustó", dijo. "Pero tienes razón. Eso es exactamente lo que estoy haciendo". Tony miró a los demás. "Todos lo hacemos", dijo. "No queremos hacerlo, pero lo hacemos. Y aún así, a todo el mundo le gusta de alguna manera recibir refuerzo positivo.

A la mayoría de nosotros nos gusta recibir unas palmaditas en la espalda, al menos una que otra vez. Y la gente que hace el esfuerzo por hacer las cosas cada vez mejor merece todo el estímulo que se le pueda dar".

Tony pausó por un momento y luego continuó: "Ahora imaginemos que estamos sentados frente a frente con la persona que está escribiendo un informe para ti. El trabajo de esta persona tiene altibajos, y ahora tú tienes que considerar con ella los más y los menos.

Tú podrías decir, 'Bob, este reporte en general está muy bueno, aunque todavía necesita pulir algunas cosas. Gracias por haber venido'. Pero hacer eso sería una pérdida de tiempo, ¿no es así? Es posible que hacerlo te haga sentir mejor, pero en realidad no le diste a Bob ningún tipo de retroalimentación útil. Al contrario, él se irá confundido y sin saber cómo mejorar el informe. No has sido específico con él. Lo anterior no ha resultado mejor que haberse ido por el pasillo y haber dicho, '¡Mejora el trabajo, Bob!'".

¿Qué hacen la mayoría de los supervisores en esta situación? Su tendencia, usualmente, es mencionar que en términos generales el trabajo está bien y entonces señalan específicamente las falencias, por ejemplo, 'En general, hiciste un buen trabajo en el informe Bob, pero el párrafo principal no introduce suficientemente el tema, y tu conclusión no es muy clara sobre el hallazgo más importante. Ah sí, y otra cosa, necesitas mejorar tu puntuación'.

Aquí hay otras variaciones que probablemente hayan escuchado:

'Bien, me alegra que hayas mantenido el orden, Molly, pero, ¿estás segura de que no dejaste ningún dinero en la tabla sin haber sustentado el precio? ¿Y, estás segura que ellos volverán y nos comprarán de nuevo? Si no regresan, no habremos logrado mucho con este negocio'.

O, 'Las tres Ces son buenas, Ben, pero aún tienes dos D para mejorar'.

Y una de mis favoritas: 'Esa es una corbata muy bonita, Tony. ¿Volvieron de moda esas corbatas?'.

Cuando la risa se detuvo, Tony continuó: Ese enfoque provoca dos problemas. En primer lugar, no sólo no estás dando suficiente retroalimentación informativa, también probablemente estás dando retroalimentación motivacional negativa, a pesar de que hayas empezado con un cumplido.

Estás afectando la motivación porque estás haciendo que el individuo se prepare para escuchar caer el otro zapato. Cuando la gente escucha una y otra vez la expresión, 'Muy bien, pero...', no le presta atención a lo positivo y empieza a prepararse para escuchar lo que viene después del 'pero'. Y dado que están esperando la parte oculta, pierden receptividad a los elogios y se hacen inmunes al refuerzo.

Así, las interacciones con otras personas se vuelven básicamente negativas, y ello afecta las relaciones interpersonales. La gente empieza a asumir que todas sus interacciones contigo serán incómodas. Eso hará que te eviten. Y no se puede ayudar a alguien a desarrollar su pleno potencial si no se puede interactuar con esa persona.

Y lo segundo es que aunque las personas aprenden rápidamente a discernir qué es lo que está mal en su trabajo, no logran hacer lo mismo respecto a lo que está bien. Puesto que no saben qué es lo que hicieron bien, no tienen un patrón para seguir. No saben cómo capitalizar sus fortalezas. No tienen nada para imitar la próxima vez que hagan el trabajo. Nunca se harán autosuficientes y siempre dependerán de otros en cuanto a recibir instrucciones.

¿Cómo evitar que eso ocurra? Siendo bastante específico respecto a lo que está bien y lo que está mal respecto al trabajo. Por ejemplo, se puede decir algo como esto: 'En general, hiciste un buen trabajo en el informe, Bob. Ahora analicémoslo parte por parte. La primera sección no nos dice mucho sobre el tema que se quiere tratar, y tu resumen final tampoco nos dice mucho sobre las conclusiones a las que has llegado, las cuales sí manejas bastante bien en la tercera sección. Las secciones segunda y cuarta son especialmente útiles. Me gusta particularmente como resumes los inconvenientes potenciales y como bosquejas los posibles planes de contingencia para contrarrestarlos. La lista de contactos alternativos va a resultar muy útil en lo relacionado con nuestros planes de expansión. La tercera sección probablemente es la mejor de todas. Tiene el mismo nivel de detalle de las secciones dos y cuatro, y como puedes ver aquí en mis notas, la claridad es sobresaliente'.

Janet levantó su mano y preguntó: "Tony, ¿qué haces cuando el trabajo de alguien tiene más puntos malos que buenos? ¿Hablas primero de las cosas buenas y luego de las malas, o es mejor hacerlo al revés?

"La mejor manera de manejar la situación es como lo hice en el ejemplo. Revisen el trabajo sección por sección —pero en el orden normal. No importa si la persona con la que estás hablando es un representante de ventas, un ejecutivo, o una enfermera, si tú pones demasiada energía en decidir cuál sección considerar primero, la persona va a desperdiciar mayor energía intentando descubrir por qué seleccionaste el orden que usaste".

"Esto está empezando a sonar bastante engorroso", agregó Mary. "¿Estás intentando decir que tenemos que suministrar refuerzo constantemente, día tras día, y semana tras semana, para mantener motivadas a las personas?".

"Del todo no, Mary. Y eso me lleva a los principios cuarto y quinto del refuerzo positivo. En realidad hay dos tipos de horarios de refuerzo: hay continuo e intermitente. En la retroalimentación continua, al individuo se le refuerza virtualmente todo lo que hace bien o casi toda acción que encamine en la dirección correcta. La retroalimentación intermitente se hace más o menos de forma aleatoria. Es como introducir monedas en una máquina de monedas.

El refuerzo continuo es el más recomendado cuando se quieren desarrollar comportamientos nuevos. Se puede utilizar con los empleados nuevos o con los estudiantes que están trabajando para mejorar sus habilidades. Sin embargo, una vez que alguien ha alcanzado un buen nivel de solidez en su desempeño, se puede pasar a hacer refuerzo intermitente. Tal vez ustedes puedan pensar, 'Si el refuerzo es bueno, entonces mientras más refuerzo se haga, mejor'. Pero eso no necesariamente es cierto. Aplicar más refuerzo es bueno cuando se está intentando construir algo en particular.

Y una vez que la gente alcanza cierto nivel de desempeño, ellos mismos empiezan a hacer autorrefuerzo. Un buen representante de ventas sabe cuando ha hecho bien su trabajo. Esta persona está en posición de considerar los aspectos positivos o negativos de su propio desempeño. Todo lo que necesitará de ustedes será una afirmación ocasional de su valor para la compañía, y tal vez algo de atención especial cuando haga un trabajo extraordinario.

Yo juego tenis, y particularmente cuando hago un buen servicio, me digo a mí mismo, '¡Excelente servicio!' Sin embargo, se necesitó bastante refuerzo de mi instructor respecto a asuntos como dónde ubicar mis pies, cuán alto arrojar la bola, dónde dirigirla, dónde iniciar el giro con la raqueta, el seguimiento, el movimiento en la cancha y otros miles de cosas que necesitaba para lograr un nivel donde pudiera decirme a mí mismo, '¡Excelente servicio, Tony!'.

Y como la mayoría de los entusiastas con el tenis, continúo tomando lecciones. ¿Por qué lo hago? Porque aunque nunca seré un jugador excepcional, siempre podré mejorar mis técnicas. Supongo que eso es cierto en el caso de muchos de los miembros de tu equipo de ventas, Mary; y de tus enfermeras, Janet; y seguramente lo mismo puede decirse de tu personal de producción, Carlos; así como de tus estudiantes, Mike; y de tu hija, Lloyd; una vez que todos ellos logren alcanzar los hábitos esperados y el progreso constante.

Si alguien está desempeñándose por debajo de lo que se considera un nivel aceptable, hablen con esa persona cara a cara y suminístrenle refuerzo de forma continua y en tiempo real. Continúen

> "No todo el mundo puede ser excepcional, pero sí puede ser mejor. Nuestra misión debe ser la de ayudar a la gente a mejorar".

haciéndolo. Y refuercen cada mejora que haga, aunque sea pequeña. Una vez lo esté haciendo bien, retrocedan un poco y permítanle campo de acción para que actúe, no obstante, sorpréndale con una palabra de ánimo o una palmadita en la espalda una que otra vez".

LA RETRO ALIMENTACIÓN INFORMATIVA

El mapa de la ruta hacia el éxito

L uego del receso, mientras todo el mundo regresaba a la sala de conferencias, Tony escribió en el tablero:

- SUMINISTRE RETROALIMENTACIÓN RELACIONADA CON LAS METAS
- HÁGALO DE FORMA INMEDIATA,
- UTILICE GRÁFICOS

Ahora dediquemos algunos minutos a hablar acerca del segundo tipo de retroalimentación. No tomará mucho tiempo hacerlo, porque de una forma u otra, la mayoría de ustedes está familiarizada con este tipo de retroalimentación.

La retroalimentación informativa, es como su nombre lo indica, la información que se provee respecto al desempeño del individuo. En la escuela puede provenir del registro de las calificaciones de una asignatura o del conjunto de asignaturas cursadas por un estudiante. En las ventas, los datos de la retroalimentación informativa pueden basarse en el volumen de ventas, el número de clientes nuevos, la satisfacción del cliente, el margen neto, y el volumen de órdenes de compra promedio.

Como regla general, es mejor monitorear las estadísticas y evaluar el desempeño de las personas de forma individual porque ellas se muestran más dispuestas a creer en la información si se lleva un registro de su desempeño, especialmente si este ha sido por debajo de lo esperado. También reaccionan más rápido para corregir el problema, porque pueden identificarlo antes de que su supervisor lo haga. Esto estimula la autorregulación.

Hay tres cosas que se deben tener en mente, dijo Tony, señalando al tablero: En primer lugar, la retroalimentación debe estar relacionada con las metas.

Una meta constituye una motivación muy poderosa. Mary, si tú has establecido una meta —o mejor aún, un conjunto de varias metas pequeñas— el representante de ventas naturalmente tendrá esas metas en mente. Así pues, la retroalimentación informativa es simplemente una manera de dejarle saber a la persona el tipo de progreso que ha hecho hacia la consecución de la meta. Mike, si tú y tus estudiantes han concordado en que todos los exámenes van a estar por encima de los 80 puntos, con al menos dos de estos en 85 puntos, entonces, naturalmente el estudiante mantendrá registro de los puntajes de los exámenes.

En segundo lugar, la retroalimentación informativa debe ser inmediata. El problema de los reportes de notas, Mike, es que estos dan información de retroalimentación una semana después o hasta un semestre después que se ha acordado un comportamiento determinado. Lo mismo ocurre con las revisiones de desempeño anual, Carlos, donde el lapso de tiempo transcurrido puede ser todo un año. Esa es la razón por la que esos métodos de retroalimentación usualmente no producen cambios duraderos en el comportamiento de una persona.

"Sin importar el sistema de retroalimentación informativa que se utilice, el ciclo de información debe aplicar al comportamiento asociado". Por

> "Sin importar el sistema de retroalimentación informativa que se utilice, el ciclo de información debe aplicar al comportamiento asociado".

ejemplo, en un escritorio de pedidos, se generan ventas a lo largo del día. Por lo tanto, es probable que ustedes quieran proveer retroalimentación cada hora. Lo mismo sucede con la mayoría de trabajos de producción. Con los estudiantes, hagan que estos se enteren tan pronto como se califique cada examen o ensayo. Procuren no esperar hasta el fin de semana para calificar los trabajos. Califíquenlos de inmediato —si es posible el primer o segundo día, aunque los exámenes de período o más complejos, sí van a requerir de un poco más de tiempo.

Lo tercero que quiero enfatizar es esto: una imagen vale más que mil palabras. Eso es un cliché, pero resulta especialmente oportuno en este caso. Un gráfico da una imagen instantánea del nivel de progreso. Tiene muchísimo más impacto que las cifras, muestra de forma simultánea los aspectos específicos y el cuadro general. Al poner las calificaciones en un gráfico, se le ayuda a un estudiante a ver, no sólo dónde ha estado, sino también su situación actual y la tendencia seguida. Los gráficos del volumen de ventas, del promedio de órdenes y así por el estilo, le dan a un representante de ventas una imagen instantánea de su desempeño. La gente no siempre entiende las cifras con facilidad, pero la mayoría sí entiende de inmediato un gráfico y puede conservar la imagen en su mente durante más tiempo.

"¡Auxilio!", exclamó Janet. "¿Hacer un gráfico de la cooperación de las enfermeras por hora? ¿Qué hay de la comunicación? ¿De la actitud? ¿Cómo se supone que voy a empezar a hacer eso?".

"¿No parece que sea algo justo, verdad? Por supuesto, tienes razón, Janet. La información que tú manejas no son "datos", como los que se manejan en una línea de producción o en un equipo de ventas, así que en tu caso, la retroalimentación informativa no es el mejor método a utilizar.

Puedes intentar llevando por ti misma un registro del progreso —por ejemplo, una concordancia privada de las veces que observas buen trabajo en equipo, como cuando las enfermeras cooperan o se ayudan entre sí. Este pudiera ser un buen indicador de si la retroalimentación motivacional que haces está dando resultados.

Si deseas involucrar a las enfermeras en tus esfuerzos, pudieras intentar establecer alguna clase de métrica. Por ejemplo, llamar a reunión a tu personal para considerar con ellas tus preocupaciones respecto a la falta de trabajo en equipo entre los turnos. En la reunión podrías pedirles que midieran la calidad del trabajo en equipo en una escala de uno a diez. Luego, durante la semana siguiente, vas a prestar atención particular al desempeño de todos en el grupo y a reforzar hasta la mejora más insignificante. Después, vas a tener otra reunión donde solicites medir una vez más el desempeño del trabajo en equipo. Elabora un gráfico de los resultados para que todos lo vean. Analiza el progreso que se esté logrando. Pide ideas de cómo mejorar aún más el trabajo en equipo. Así, con la atención de todos centrada en el asunto del trabajo en grupo, y con la evidencia gráfica indicando el progreso, este tipo de retroalimentación informativa subjetiva, puede ser útil como base de la retroalimentación orientada hacia la motivación. No es un asunto tan denso como los datos de ventas o de una línea de producción, pero al lograr la participación de todos en medir factores que de algún modo son intangibles, se puede lograr un resultado mucho más objetivo.

LA RETRO ALIMENTACIÓN DE DESARROLLO

Las correcciones en el camino

"**M**uy bien, debo preguntar algo", dijo Carlos. "Entiendo que todo este asunto de tener expectativas positivas y dar refuerzo y de hacer responsables a las personas tiene sentido. También estoy consciente que no he estado haciendo lo suficiente en todo ello. Pero en algún punto, si algún individuo no está rindiendo, uno tiene que endurecerse, tiene que sentarse cara a cara con él y decirle que tiene un problema. Uno no puede ser positivo todo el tiempo. Todo lo que has dicho hasta este momento asume que la persona está haciendo el mejor esfuerzo para mejorar. Pero, ¿qué sucede si eso no es así? ¿O qué tal si la persona parece estar haciendo un esfuerzo pero no logra mucho progreso?".

"Buena pregunta, Carlos. Ese es el siguiente tema en la agenda, así que si nadie tiene más preguntas respecto a la retroalimentación informativa, podemos proceder. ¿Alguien tiene preguntas?"

Janet levantó su mano. "Hablando de retroalimentación informativa, ¿cuándo vamos a ver los chistes de todos?". Esto hizo que todos en la sala rieran.

Tony levantó un fajo de papeles grapados. Le pedí a mi asistente que los compilara y los imprimiera en un sólo paquete. Se los pasaré antes de irnos a nuestro próximo receso. Si se los diera en este momento, no lograría nada con ello.

Por un momento, titubeó y dijo: en realidad, son bastante buenos. Van a comprobarlo más tarde.

Pero por ahora, el tema es la retroalimentación de desarrollo. "Y Carlos, puesto que tú la planteaste, hagamos un juego de roles".

"Ya veo. Como hice la pregunta, tengo que estar en el juego de roles. ¿No es este un buen ejemplo de castigar el buen comportamiento?", Carlos preguntó sonriendo.

Tony sonrió, "Vas a disfrutarlo, Carlos. Puedes jugar y yo voy a ser tu gerente de producción".

"Creo que puedo hacerlo", dijo Carlos.

"Bien, tú inicias. Acabo de llegar a tú oficina. Estás preocupado porque la calidad del producto está desmejorando y eso afecta la productividad".

"Bien Tony, he estado observando los registros de producción de los últimos tres meses, y he notado que la tasa de desperdicio ha pasado de 1.28% a 2.37%. ¿Qué está sucediendo? ¿Por qué estamos desperdiciando tanto producto?"

"Carlos, puedo entender que estés preocupado y yo también lo estoy, pero el asunto es que durante el último corte de producción perdimos a varios miembros clave del personal, y hemos tenido problemas para contratar buenos reemplazos. En parte se debe a eso. Y en parte se debe también a que control de calidad está siendo poco razonable con nosotros. Creo que dos de los inspectores de línea nos tienen entre ojos".

Carlos frunció el ceño, "Tony, estoy intentando resolver el problema, pero todo lo que estoy recibiendo de parte tuya es un montón de excusas".

Mary estuvo a punto de saltar de su silla. "Tony, ¡te juraría que estás hablando con Marvin o con Pat! Este es exactamente el tipo de conversaciones que tenemos. Cuando les pregunto qué sucede con ellos, salen con ese tipo de excusas flojas, culpan la economía, nuestros precios, la competencia desleal, a cualquier persona o a cualquier cosa que no esté en la sala de juntas".

Lloyd dijo, "Eso se parece a lo que me dice mi hija. Cuando mi esposa o yo le hablamos sobre sus notas o sobre cualquier otro problema, ella nos da una excusa tras otra".

"Muy bien, Lloyd", dijo Tony. "Esta vez seré Tony, un estudiante cuyas notas no son tan buenas. Y Mary hará el papel de mi madre. De esa forma, Lloyd, puedes sentarte como un observador neutral, ¿de acuerdo?".

"De acuerdo", dijo Lloyd. "Para variar, eso va a ser agradable".

"Mary, me pediste que me sentara y te hablara de mi último reporte de calificaciones".

"Así es", dijo Mary. "Tony, ya hemos hablado de tus notas y aquí estamos otra vez, viendo una D menos, cuatro Des y una C menos. ¿Qué tienes qué decir?".

"Bien, ya sabes", dijo Tony mirando al piso, "varias de esas materias son muy pesadas".

"Tony, yo sé que tú eres mucho más inteligente de lo que muestran tus calificaciones, así que ¿por qué no vemos notas que demuestren ese nivel que tú tienes?".

"Es porque no le agrado a la maestra Jones. Esa es la razón. No me fue con ella bien el año pasado en Biología y este año está pasando lo mismo en Química".

"Bien, si es así, eso no explica la razón de las calificaciones en otras materias. Hablemos por un momento de la maestra Jones. ¿Por qué no le agradas a la maestra Jones?".

Lloyd interrumpió. "Oigan, ya he pasado por esto antes. Se va a poner peor. Tony va a explicar porqué no le gusta a la señora Jones, y a continuación Mary discutirá con él sobre eso, y se enfrascarán en el tema sin ninguna salida".

Mary asintió vigorosamente. "Me sentí, deslizándome. La conversación me estaba absorbiendo, y no sabía cómo evitarlo".

Tony sonrió. "Lo que acaban de experimentar sucede muy a menudo con este tipo de interrogatorio. He aquí una pregunta: ¿se podría decir que uno sólo obtiene respuestas a las preguntas que hace?".

"Uno sólo obtiene respuestas a las preguntas que hace".

Hubo una pausa mientras todos pensaban al respecto. Entonces los cinco asintieron al mismo tiempo.

Bien, si están tomando notas, eso es algo bueno para anotar.

Y ya que están tomando notas, voy a darles cinco pasos para discutir los problemas de desempeño, los cuales no sólo evitarán que caigan en estas situaciones, eso que Lloyd llamó… "¿cómo lo llamaste Lloyd? ¿Pantano sin escape?".

"Sin salida".

Suena terrible. Bien, ustedes harán más que simplemente eso. Estarán en condiciones de hablar sobre los asuntos del desempeño, de una manera que despierte el sentido de compromiso, en vez de sólo recibir excusas u obediencia a regañadientes.

En buena medida, no caer en el pantano sin salida implica hacer el tipo de preguntas correctas. Si haces el tipo de preguntas equivocadas, recibirás las respuestas equivocadas, las respuestas que no te dan la información que necesitas. Tony escribió en el tablero:

1. DEFINA EL ASUNTO

El primer paso: antes de hacer la primera pregunta, declaren el asunto del desempeño. Háganlo como una declaración directa y de hecho. No emitan juicios, no culpen a nadie, y no intenten evaluar el problema. Este tipo de declaraciones con frecuencia son vistas como un ataque personal, por lo que desencadenan una respuesta defensiva o un contraataque, y nadie gana este tipo de batallas. Pero si lo que ustedes están haciendo es definir el asunto del desempeño como un hecho en realidad están haciendo algo como dar retroalimentación informativa. No es positivo. No es negativo. Simplemente es una definición.

Eso es muy importante, describan el comportamiento en términos de desempeño en vez de utilizar expresiones evaluativas o de juicio. Piensen que una declaración es como un espejo. Si los hechos que enuncian son claros e indisputables, y no están cargados con opiniones o culpas, la persona verá la imagen exacta de su propio comportamiento. Entonces podrá empezar a cambiar ese comportamiento.

La persona deberá entender que ustedes no la están atacando, sino que simplemente están describiendo un comportamiento o desempeño que necesita atención y que debe resolverse. El mensaje subyacente debe ser: 'Tú me agradas y yo te respeto, pero no tu comportamiento'.

En cada una de las situaciones, esta es la manera como pueden proveer descripciones de un desempeño:

"Mike, tu declaración podría ser algo así como 'George, he notado que todos tus exámenes de Matemáticas están entre 70 y 80 puntos'.

Janet, para ti podría ser, 'He empezado a darme cuenta que todos nosotros —y en esto yo también me incluyo— a veces estamos tan ocupados con las cosas que nos olvidamos de trabajar en equipo, ese tipo de vínculo que hace la diferencia en la forma como funcionamos como unidad'.

Carlos, una descripción de los hechos para un gerente de planta pudiera ser, 'He analizado la productividad de la planta, y veo que estamos rindiendo entre un 97.2% y un 98.1%'.

Para ti Lloyd, una descripción de los hechos sobre las calificaciones podría ser, 'Lori, veo que tienes una C, tres Des y una D menos este semestre en tu libreta de calificaciones'.

Y la tuya, Mary, podría ser, 'Marvin —o Pat— he notado que durante los últimos seis meses tus ventas han estado por debajo de los 80 puntos'.

Eso es todo lo que debería tener la declaración de apertura. Si ustedes simplemente declaran los hechos y no dicen nada que suene a culpabilidad o a que ya han tomado una decisión, evitan poner a la persona a la defensiva. Esto facilita llegar al meollo del problema.

A continuación Tony escribió:

2. PIDA SOLUCIONES

Ahora bien, el segundo paso es este. Continúen con una pregunta neutral, orientada hacia el futuro. Aquí es donde la mayoría se mete en problemas. ¿Recuerdan lo que dijimos sobre las preguntas? 'Sólo obtenemos respuestas a las preguntas que hacemos'.

Tanto Carlos como Mary iniciaron con una declaración respecto a los hechos, sólo que Mary la cargó un poco con algo que sonó como una acusación: 'Tony, ya hemos hablado de tus notas y aquí estamos otra vez'. "Mary, este enfoque dificulta la comunicación abierta en vez de ayudarla".

"Sí, Tony, ahora que te escucho repetirla, entiendo porqué suena a acusación. Supongo que estoy muy preocupada por tus notas tan terribles". Los demás rieron.

Vamos a intentar mejorar eso. Ahora, lo siguiente que tú y Carlos hicieron, fue hacer preguntas que miraban hacia el pasado más bien que hacia el futuro. "Mary, tú hiciste dos una tras otra: '¿Qué tienes que decir?, y ¿por qué no vemos notas que demuestren ese nivel que tú tienes?'. Carlos, tu primera pregunta, de una serie de dos fue '¿Qué está sucediendo? ¿Por qué estamos desperdiciando tanto producto?' Utilizaste la pregunta 'por qué' la cual es una palabra bastante cargada, en vez de utilizar 'qué' o 'cómo', las cuales tiene menor carga emocional".

Lo mejor es evitar preguntas que tengan un compromiso histórico en su naturaleza, preguntas que deban ser contestadas de forma afirmativa o negativa y que comiencen con 'por qué' o con 'quien'. Las preguntas históricas devuelven el tiempo: '¿Por qué salió esto mal? ¿Quién causó el problema?'; piden razones, pero invitan a las excusas. Y dado que a nadie le gustan las excusas nos enfadamos cuando otros las dan. Pero la falta es nuestra más que de las demás personas. Todo lo que ellos están intentando hacer es contestar las preguntas que hicimos. Si por el contrario, hacemos preguntas orientadas hacia el futuro, tales como: '¿Cómo puede corregirse esto?, o ¿Qué hay que hacer para reversar esta tendencia?', invitamos a que se den declaraciones positivas sobre algo que se puede hacer mejor en el futuro.

Y ahí es donde todo se hace más interesante. Si la persona logra articular la forma

> "Sencillo, no necesariamente es lo mismo que fácil".

como el problema va a corregirse, o mejorar cierto comportamiento en el futuro, entonces habrá logrado hacer el trabajo mental de, en primer lugar, evaluar qué salió mal, y usualmente estará en capacidad de ofrecer una solución. Una vez que eso ocurra, no hay razón para pedir una admisión de la culpa.

"Eso parece bastante sencillo", dijo Mary.

"Es sencillo", dijo Tony. "Pero sencillo, no necesariamente es lo mismo que fácil. Cuando lo ves en acción es sencillo de entender. Pero cambiar los viejos hábitos no es tan fácil, como ustedes lo experimentarán las primeras veces que intenten aplicar este enfoque".

"Tony", preguntó Carlos, "¿qué hay si estás pidiendo soluciones y consigues respuestas inesperadas, es decir, ideas poco prácticas o realistas?".

"Bueno, eso nos lleva directamente al paso tres", dijo Tony:

3. EXPLORE LAS OPCIONES

Piensen en el diálogo como una sesión de lluvia de ideas. No evalúen cada opción según surja; no es el momento apropiado para hacerlo. Permitan que la persona haga todo tipo de sugerencias. No se detengan tan pronto escuchen la respuesta que desean. Sigan pidiendo soluciones, manteniendo sus palabras lo más parecidas a las originales.

Ese es usualmente el paso más difícil. La tendencia más común es la de precipitarse a explicar por qué cierta idea en particular no funciona. Cuanto más familiar la idea, mayor será la tentación de descartarla. Voy a ilustrar ese punto.

El gerente de ventas pregunta: '¿Cómo incrementar el volumen de ventas en un punto porcentual?'.

El representante de ventas dice: 'Baje el precio en un 20%'.

El gerente de ventas: 'Muy bien, una posibilidad es la de reducir el precio. ¿Cómo más podríamos aumentar el volumen de ventas?'.

El representante de ventas: 'Bien, supongo que podríamos...'.

Ahora bien, como representante de ventas ustedes saben que una reducción del precio en un 20% no es una opción, pero lo que desean hacer es permitir que las ideas fluyan. Si ustedes continúan pidiendo alternativas y opciones, hay buenas posibilidades de hacer que el representante de ventas recupere el rumbo y pueda resolver su propio problema. Mientras menos hablen ustedes, mayor número de sugerencias hará él, y más fuerte sensación sentirá él de que tiene la solución. Además, probablemente él tenga bastante información sobre cómo hacer que las cosas funcionen.

Una vez que se expresen las ideas, podrán hacer otra pregunta como: '¿Cuál de todas estas ideas podríamos implementar para hacer que las ventas estén en el punto que deseamos?'

Eso nos lleva al cuarto paso:

4. REFUERCE LAS RESPUESTAS POSITIVAS

Refuercen cuantas sugerencias útiles haga la persona. Una vez que ustedes terminen de compilarlas y de revisarlas una por una, concentren su atención positiva en las mejores. Digamos que el representante de ventas sugiere intentar concentrarse en unas cuentas potenciales y realizar una campaña de publicidad que anime a comprar antes de cierta fecha, ya que los materiales tienden a desactualizarse rápidamente. Podrían decir: 'Marvin esa es una sugerencia excelente. Esta es la clase de propuestas que hacen que nuestras ventas vuelvan a tomar el curso deseado'. Lo que ustedes están haciendo es animándole a seguir proponiendo nuevas ideas —y él lo hará, por tanto como ustedes continúen dándole refuerzo positivo. De esa manera, consiguen que la conversación siga fluyendo, y continúan dándole más oportunidades de expresarse.

"¿Qué hay si Marvin sólo continúa exponiendo excusas?", preguntó Mary.

"Muy bien, ¿qué hay si hacemos un juego de roles los dos? Tú serás Marvin y yo seré tú. Cuando yo te haga una pregunta, dame un excusa".

"Adelante, Tony, las he escuchado todas. Hasta yo misma inventé unas cuando era representante de ventas". Todos en la sala rieron.

"Bien, Marvin", dijo Tony, "¿cómo podemos hacer que las ventas suban al punto que deseamos?".

"A decir verdad, no sé. Las ventas están malas en todas partes".

"Ya veo. ¿Cómo podríamos vencer esa tendencia aquí en Caribou Creek?".

"La verdad, no sé. La economía está muy apretada".

"Sí, está apretada. ¿Qué podemos hacer para sacarle una mejor tajada al mercado?".

Mary sonrió. "Eso es bastante bueno. Tú continuas preguntando 'qué' o 'cómo' sin importar lo que él diga, ¿no es así?".

"Exactamente. Continúa dirigiendo la conversación hacia las metas futuras. No dejes que la persona te encasille respecto a lo que ha ocurrido en el pasado".

"¿Funciona eso con los hijos?", preguntó Lloyd.

"Por supuesto," dijo Tony. "Tú serás un estudiante y yo seré un padre, ¿de acuerdo? Lloyd, ¿cómo podemos hacer que tus notas suban a C o aún mejores?".

"No lo sé. Todas las materias que estoy tomando son bastante difíciles".

"Estoy de acuerdo son difíciles. Sin embargo, todavía estoy curioso. ¿Qué podemos hacer para que tus notas lleguen a ser C o mejores?".

"No lo sé".

"Bien", dijo Tony, "Si lo supieras, ¿cuál crees que pudiera ser la respuesta?".

Lloyd, sorprendido, tartamudeó, "Bueno, supongo... supongo que debería estudiar más... Oye, ¡esa es una excelente pregunta capciosa, Tony!".

"No sé si es capciosa", dijo Tony, "pero funciona. No la puedes usar todo el tiempo, pero en las circunstancias apropiadas ayuda a la persona a darse cuenta que después de todo, sabe la respuesta. Debes tener en mente, especialmente con los niños, que 'No sé' es a veces otra forma de decir, 'No quiero pensar al respecto'".

Janet frunció el ceño. "Tony, ¿qué hay si tú preguntaras, 'Si lo supieras, ¿cuál crees que pudiera ser la respuesta?' y aún así, él no la supiera?".

"Tal vez podrías decir: 'Bien, piénsalo por un rato y hablamos de ello nuevamente mañana, o la otra semana', o lo que sea apropiado. Luego comienzas de nuevo con tu primera pregunta. En cualquiera de los casos, es importante reforzar todas las ideas útiles que vengan de la persona. Si hay límites, tienes que trabajar dentro de estos. Se puede decir: 'Dentro de los límites de nuestro presupuesto trimestral, ¿cómo podemos hacer que las ventas vuelvan a estar donde deberían estar?' o 'Dado que estás en lo del baloncesto y las carreras, ¿cómo podemos hacer que las calificaciones sean C o mejores?'.

Muy bien, ¿está todo claro? ¿Hay preguntas? ¿No? Entonces vayamos al punto final".

5. CIERRE EL TRATO

Ciérrenlo todo. Lo que en realidad están haciendo aquí es hacer que el individuo se comprometa a cumplir determinada tarea o a lograr ciertos resultados. Básicamente, ustedes deben resumir la consideración y proponer un acuerdo. Algo como esto: 'Pat, creo que hemos llegado a la conclusión de que no tenemos la penetración en el mercado que nos gustaría tener en Oregón, y que para lograr avanzar de un margen neto a un buen y sólido 22%, tu mejor opción es trabajar con cinco o seis cuentas potenciales y actualizar nuestra publicidad de punto de compra'.

Para un hijo estudiante, podrían decir, 'Lori, creo que hemos llegado a la conclusión de que si estudias una hora o dos cada día entre semana, en vez de intentar dejar todo para un día, tus notas podrían estar en donde deberían'. O podrían decir, 'Lori, creo que terminamos concordando. ¿Cuál es el acuerdo que hemos logrado?'.

"¿Qué hay si yo no considero que una hora o dos sean suficientes para lograr que las cosas se hagan?", preguntó Lloyd.

"En esas circunstancias, eso no representaría mayor preocupación. Probablemente hayan varios factores incidiendo negativamente en sus notas, pero si logras que Lori se comprometa a mejorar algunos de sus hábitos estudiantiles, es probable que ella logre implementar otros cambios también. Y tal vez estés equivocado —tal vez una o dos horas sean suficientes". Por otra parte, si yo estuviera hablando con un representante de ventas posiblemente quisiera ser más específico.

Durante el cierre, incluyan expectativas positivas sobre las habilidades del individuo para mejorar, por ejemplo: 'Bien, Pat, creo que concuerdo contigo en que el nuevo punto de compra y enfocarnos en las cuentas potenciales nos llevará a recuperar el rango de los 22 puntos. Tú eres uno de los mejores representantes de ventas, y tienes la capacidad de hacer esto'.

Finalmente, como parte del acuerdo, arreglen una cita para la próxima reunión. "Lloyd, podrías decir a tu hija, 'Lori, hablemos de esto una vez más en dos semanas para ver cómo van las cosas. Y si necesitas alguna ayuda antes, no dudes en decírmelo'".

Ahora tomemos un descanso final antes de cerrar nuestra sesión de hoy y de enviarlos a trabajar en sus proyectos.

Y como lo prometí, aquí están los chistes. Disfrútenlos. No olviden darme boletos para su próxima *stand—up comedy*.

CAPÍTULO  NUEVE

HAGA QUE FUNCIONE

Qué hacer después

"**D**e modo que, compañeros", dijo Tony, "ese es todo el asunto en una cápsula. Una cápsula de un día". Todos rieron. "Y ahora que han aprendido todo lo que debe saberse sobre cómo sacar a relucir lo mejor en los demás, lo siguiente que harán es salir y ponerlo todo en práctica.

Cada uno tomará las herramientas y las técnicas que han aprendido y las aplicarán a su situación. En tu caso, Janet, significará mejor trabajo en equipo. Para Lloyd, mejores notas de parte de Lori, y una alcoba más ordenada. Para Carlos, productividad en la planta. Para Mary, el desempeño de las ventas de Marvin y Pat. Y para Mike, mejor desempeño de sus estudiantes en el salón de clases.

Tres de ustedes tienen situaciones que involucran a muchas personas, mientras que dos de ustedes tienen que tratar con una o dos personas. Esta será una prueba interesante que pondrá los principios en acción. Algunos de ustedes probablemente desearán aplicar todas las herramientas de las que hemos hablado. Otros, quizás, descubran que sólo necesitan una o dos. Algunos probablemente ya están utilizando algunas o todas las herramientas, pero quizás no de la forma más efectiva. Lo que sea que decidan, me gustaría que pongan a trabajar al menos una de las herramientas en la primera semana después de   haber salido de aquí. Esto es muy importante, porque, ustedes van a darse cuenta que noventa días pasan muy rápido.

En pocos minutos habremos salido de aquí. Voy a darles algunas instrucciones sobre cómo aplicar las herramientas. Luego, nos dejaremos de ver. Después de esos noventa días les pediré que nos reunamos aquí de nuevo. Nos contaremos unos a otros si todo funcionó bien o no.

Hemos hablado de todas las herramientas que se necesitan para sacar a relucir lo mejor de las personas a nuestro alrededor. Pero el verdadero aprendizaje va a tener lugar durante los próximos tres meses. A menos que ustedes sean diferentes a los demás grupos con los que he trabajado, van a tener tropezones al menos una vez. Y cada tropezón se convertirá en una experiencia de aprendizaje que fortalecerá sus habilidades.

Ahora, antes que resuma todo en veinticinco palabras o menos, ¿tienen otras preguntas? ¿Algo que no haya explicado suficientemente?

"Permíteme ver si entendí esto bien", dijo Carlos, consultando sus notas. "Yo regreso y comunico expectativas positivas sobre la productividad. Me aseguro de hacerlos responsables y establezco algunos objetivos altos y bajos. Hago algunos gráficos sobre lo que me gustaría rastrear, refuerzo las cosas buenas que observo en la gente, y cuando confronte estándares bajos de desempeño, utilizo preguntas orientadas hacia el futuro, ¿no es así?".

"Lo resumiste bastante bien, Carlos". Sí, eso es básicamente lo que estamos diciendo. Y si Janet utiliza los mismos principios —no necesariamente las mismas acciones, y por supuesto utiliza su propio estilo— su personal de enfermería mejorará su trabajo en equipo. Y así por el estilo.

"Bien", dijo Carlos taciturno, "Todo esto suena bastante fácil. Producir bienes es una operación compleja, y se necesitan muchas personas con diferentes habilidades para hacerlo posible. Odio jugar al papel del escéptico de la clase, pero en mi experiencia, nada que parece simple resulta simple cuando lo pones en práctica".

"Esa ha sido mi experiencia también", dijo Tony. Nunca es como suena. Recuerden lo que dije hace un rato, 'Sencillo no es necesariamente lo mismo que fácil'. Eso es lo que enfrentaremos ahora, porque no es tan simple hacer que otra persona cambie su comportamiento. Esa es la parte fácil.

> "La parte más difícil tiene que ver con cambiar tu propio comportamiento".

La parte difícil es cambiar tu propio comportamiento.

Tienen que mirar el comportamiento de otros que ustedes quieren cambiar. Entonces tienen que examinar su propio comportamiento y preguntarse, '¿Qué tengo que hacer —qué cambios debo lograr en mi propio comportamiento— a fin de que los demás hagan su mejor parte?' Y tienen que lograr esos cambios de una forma que saquen a relucir lo mejor de las otras personas.

"Así que lo que quieres decir", dijo Lloyd, "es que ¿implica más cambiar mi propio comportamiento que cambiar el comportamiento de mi hija?".

"¡Absolutamente!", dijo Tony. "Tiene que ver todo con cambiar tu propio comportamiento. Si quieres que Lori cambie su comportamiento, tú tienes que cambiar el tuyo primero.

No quiero sonar como que estoy echándote la culpa por las malas calificaciones de Lori, Lloyd, o que tú eres el responsable del desempeño de tus trabajadores, Carlos. Esa no es mi intención". El punto es este: los problemas surgen por una multitud de razones, la mayoría de los cuales no son la culpa de una persona. Pero una vez surgen, se vinculan a nuestras relaciones y asumen vida propia. Cuando intentamos tratar esos problemas, caemos en patrones de comportamientos que se vuelven círculos. ¿Recuerdan el juego de roles que hicimos? Preguntamos, '¿Por qué sucedió esto?', y la persona contesta con una excusa. Entonces caemos en la trampa de discutir por la excusa. Esto nos conduce directo al pasado, cuando en realidad lo que necesitamos es romper ese círculo y mirar hacia el futuro.

Esa es la parte más difícil que encontrarán cuando regresen a sus situaciones. Es posible que ahora no lo logren ver, pero cuando empiecen a pensar en todo esto e intenten ponerlo en práctica, se encontrarán a sí mismos luchando contra sus propios hábitos.

La clave es entender que ustedes tienen que cambiar antes de esperar que otros cambien. Piensen en eso cada vez que estén experimentando una dificultad o un retroceso. Así podrán superar las dificultades. Es casi una garantía.

"Tony", dijo Mary, "¿qué hay si el problema no es tanto de comportamiento sino de actitud? Si alguien quiere cambiar querrá producir más ventas, entonces se podrá ver cómo responde a las expectativas y a la retroalimentación. Pero, ¿qué hay si el problema es una mala actitud?".

"Esa es una buena pregunta. Replanteémosla un poco. En vez de comportamiento *versus* actitud, veámoslo en términos de comportamiento *versus* no—comportamiento. La falta de actitud es un tipo de no—comportamiento, ¿verdad?".

"Bien, si quieres definirlo de esa manera, supongo que así es. Pero piensa en Marvin, por ejemplo. No estoy segura si el problema de Marvin es básicamente un problema de comportamiento o un problema de actitud".

"¿Qué te hace pensar que es un problema de actitud?", preguntó Tony.

"Bueno, cuando él entra en esos estados depresivos, entrega los informes tarde, y no se toma la molestia de trabajar con sus mejores clientes. Deja de planear sus llamadas de ventas. Se muestra totalmente sin motivación —sólo se ve encogido, como si nada le interesara. A eso es a lo que me refiero cuando digo 'actitud'".

"Entiendo a lo que te refieres. Bueno, es duro tratar con generalidades como 'actitud' o 'motivado'. Si le dices a Marvin que necesita ser 'más agresivo', eso no le dice a él nada muy útil. Eso no le da una pista de cómo ser más agresivo. Tu retroalimentación, sin enfoque como lo es, le anima a trabajar más duro, pero es posible que él pueda desperdiciar energía en algo que pudiera resultar irrelevante para lo que tú deseas.

Pero déjame preguntarte esto. Si Marvin entregara sus informes de ventas a tiempo, y escribiera cuidadosamente su plan de ventas para cada una de sus cuentas clave, ¿concluirías que su actitud es mejor?".

"Sí, supongo que sí".

"Pero informar y planear son comportamientos, ¿no es así? Y si esos comportamientos mejoraran, ¿considerarías que su actitud ha mejorado también?".

"Muy bien, de modo que necesito identificar comportamientos específicos que deseo que Marvin mejore, y luego reforzarlos —bien, ¡veo para dónde vas! Necesito cambiar mi comportamiento haciéndolo un hábito a fin de darle refuerzo positivo cada vez que su comportamiento mejore. En vez de ignorarlo, como lo hago ahora. Entonces su actitud —lo que yo llamo actitud pero en realidad se llama comportamiento— mejorará".

"Has captado el punto", dijo Tony.

"Permíteme ver si he comprendido", dijo Mike. "Cosas como ser amigable, cortés, alegre, agradable y ordenado son no—comportamientos, mientras que decir gracias, escuchar cortésmente, sonreír, y entregar un reporte de ventas a tiempo son comportamientos. ¿Verdad?".

"Básicamente, sí", dijo Tony.

"Y dado que no podemos ver lo que llamamos actitud o autoestima, llegamos a conclusiones con base en el comportamiento que vemos. Así que si cambiamos los comportamientos asociados con la 'autoestima' o la 'motivación', entonces logramos progreso. Eso tiene mucho sentido, y si logro tenerlo muy presente en mi mente, creo que no tendré mucho problema para aplicarlo".

"Es lo mismo, no importa que tu función sea la de maestro o jefe o supervisor o padre", dijo Tony. "Aunque podamos estar preocupados con atributos o actitudes tales como motivación o autoestima, lo único que realmente podemos afectar es el comportamiento —llegar al trabajo a tiempo, hacer llamadas en frío, prestar atención en clase, o arreglar la cama. Y cambiar nuestro propio comportamiento es la clave para cambiar el comportamiento de otros —lo que a su vez es la clave para mejorar la actitud, mejorar la motivación y la autoestima.

Y para llevar el asunto un paso más lejos, si logras producir los comportamientos que deseas, lograrás producir los resultados que deseas —un mayor volumen en la producción, mayor productividad, más ventas, autoestima mejorada, mejores calificaciones escolares, menores costos laborales, ciclos de tiempo más rápidos, mayores utilidades, y posiblemente hasta menores estadías hospitalarias por incapacidades de salud.

Desde el punto de vista de la métrica y la retroalimentación, es mejor cuando tú puedes mostrar una conexión directa entre el comportamiento y los resultados, como estudiar y las notas, o las llamadas en frío y las ventas. Pero en algunos casos debes asumir una relación, ya que puede resultar muy caro o implicar mucho tiempo medirlo. Janet, tu puedes confiar que ciertos comportamientos del trabajo en equipo van a conducir a lograr mejor cuidado del paciente y menores costos, pero en realidad mostrar el vínculo de una cosa con la otra puede resultar algo difícil.

¿Alguna otra pregunta? Sí, Carlos".

"Creo que estoy destinado a ser el cabeza dura en esta sala, pero tengo que preguntar: ¿qué sucede cuando sencillamente tienes que regañar a alguien? Eso sucede, y ustedes lo saben".

"Bien, concuerdo con ello", dijo Tony. "Sólo que necesitas tener algunas cosas en mente. En primer lugar, y pasa con mucha frecuencia, regañamos a alguien porque estamos furiosos, frustrados y eso nos hace sentir mejor. Pero eso probablemente no ayude a cambiar el comportamiento de las personas —al menos a largo plazo— aunque nos haga sentir mejor. De modo que, si ese es el caso, por lo menos reconozcámoslo. En segundo lugar, con frecuencia esta es la primera medida que tomamos, cuando en realidad debería ser la última. Existen maneras muchísimo mejores de lograr un cambio duradero en el comportamiento.

En tercer lugar, aunque un regaño logra que el comportamiento indeseable cambie —al menos temporalmente— no necesariamente logra

> "Con mucha frecuencia, regañamos a alguien porque estamos furiosos y frustrados, y eso nos hace sentir mejor".

que se produzca el buen comportamiento. Uno consigue que se produzca el buen comportamiento cuando suministra refuerzo al buen comportamiento.

En cuarto lugar, regañar a una persona conlleva a hacer una amenaza, sea de forma implícita o explícita —Si no logras buenas calificaciones, quedas castigado por tres semanas— pero no siempre podemos llevar a cabo la amenaza. Si no estás preparado para tirar del gatillo, no saques el arma.

En quinto lugar, el principio de inmediatez aplica aquí lo mismo que el principio de refuerzo positivo. Si regañas a alguien, hazlo muy, muy enseguida del comportamiento.

El regaño más eficaz que he tenido en mi vida fue en el ejército. Yo era teniente recién nombrado bajo entrenamiento para prestar servicio en la guardia del general. El consejero del curso era un mayor de infantería con un historial de dos recorridos de combate. Él había logrado honores para ascender, y había sido promovido mucho antes que sus contemporáneos. También había sido guardia de la fuerza aérea. Su pecho estaba lleno de condecoraciones. Tenía una medalla de bronce en el decatlón de los Olímpicos. Era un excelente francotirador. Estoy absolutamente seguro de que había estado en muchísimos lugares mejores que simplemente con un puñado de tenientes de infantería.

Así pues, reprobé un examen. Totalmente reprobado. Entonces él me llamó a su oficina.

Yo entré y saludé. Me miró y nunca quitó su mirada de mí. Nunca parpadeó, y nunca levantó su voz.

"Teniente Russo, usted reprobó este examen. ¿Qué tiene que decir a su favor?".

"No tengo excusas", respondí.

"¿Cree usted que esto va a pasar de nuevo?".

"¡No señor!".

"Yo tampoco. Está despedido".

Nunca antes ni después de eso me he sentido tan regañado. Fue un completo regaño. Pero no fue el típico regaño. De modo que si uno tiene que regañar a alguien, adelante. Pero hágalo con moderación, y hágalo de forma eficaz.

Luego, asegúrese de reforzar el buen comportamiento tan pronto como ocurra. Con mucha frecuencia, se regaña a alguien y después de eso se evidencia alguna mejoría, pero no se refuerza. Ocurre demasiadas veces. Esto hace que la persona se dé por vencida.

Aquí hay una buena regla para aplicar: dé retroalimentación positiva—negativa en una proporción de tres a una, cuatro a una o cinco a una. Es decir, trate de dar retroalimentación positiva tres, cuatro o cinco veces por cada retroalimentación negativa que dé.

¿Alguna otra pregunta, no? Muy bien, estos son los pasos que quiero que den cuando aborden una situación. Tony tomó el marcador y escribió en el último cuadrado libre de su tablero:

1. CAMBIO EN EL COMPORTAMIENTO

Primer paso: decida qué es lo que usted quiere que la persona haga, realice de forma diferente o deje de hacer. ¿Desea usted que la persona estudie más, estudie menos, estudie de forma diferente, estudie temas distintos, estudie en un lugar distinto, o algo similar? Mary, los resultados que estás esperando de Marvin son mejores niveles de ventas. ¿Qué tipo de comportamientos debería manifestar él de modo que pueda incrementar sus ventas?

2. NIVEL DE DESEMPEÑO

En segundo lugar, decida de forma razonable el nivel de desempeño deseado. Lloyd, ¿qué tipo de notas debería tener Lori? ¿Todas A, todas C, una D y el resto C? Janet, ¿qué tipo de trabajo en equipo sería el apropiado? ¿Cómo se manifestaría? Carlos, ¿qué hay de la productividad en la planta? ¿Debería ser del 97% o del 98.5%? Seguramente aquí deseas pensar a corto y a largo plazo. Recuerda la escala de estrés gradiente. En noventa días, ustedes no van a estar en el punto ideal, pero habrán podido lograr algún progreso.

3. SU COMPORTAMIENTO

a. Expectativas

b. Responsabilidad

c. Retroalimentación

Finalmente, examine su propio comportamiento. Como vimos, hay tres áreas para considerar. La primera, ¿existen mejores maneras de comunicar de forma positiva sus expectativas? Esto implica no sólo sus palabras en sí, sino su tono de voz y su lenguaje corporal. Preste atención al contexto en sí. No permita que otras personas o el teléfono interrumpan. Déjele saber a la persona que la discusión es importante para usted.

Segundo, examine el tema de la responsabilidad. ¿Puede usted mejorar en ayudar a la persona a enfocarse en comportamientos específicos que conduzcan a obtener progresos? ¿Está la persona comprometida a lograr metas específicas? ¿Está bien definido el nivel de responsabilidad de la persona? ¿Está usted utilizando los objetivos altos y bajos para mejorar la motivación?

Tercero, retroalimentación. ¿Está usted dando retroalimentación motivacional mediante reforzar las mejoras en los comportamientos y en los resultados? ¿Es específica la retroalimentación? ¿Es lo suficientemente frecuente? ¿Está la persona recibiendo retroalimentación negativa por hacer lo correcto, o está recibiendo refuerzo positivo por hacer lo que está mal? ¿Cómo puede usted mejorar su propio comportamiento para suministrar mejor refuerzo? Considere la posibilidad de conseguir el apoyo de otros a fin de reforzar el comportamiento positivo —colegas, vecinos, cónyuge.

¿Está usted dando retroalimentación informativa con suficiente frecuencia, y con suficiente detalle y en la cantidad adecuada para permitir que la persona mejore su desempeño? ¿La ha presentado usted en una forma gráfica, fácil de entender? ¿Tiene la persona una copia de esos datos y del gráfico elaborados por usted?

Finalmente, ¿dado el desempeño de la persona, se requiere retroalimentación de desarrollo en la forma de confrontación de apoyo para el rendimiento bajo? Si esto resulta apropiado, decida por adelantado lo que va a decir y las preguntas que va a hacer. Evite hacer recriminaciones. No se enrede en el pasado; enfatice las mejoras futuras tanto en el comportamiento como en los resultados.

Y eso es todo. Ahora voy a enviarlos al mundo, como a los cinco mosqueteros, para que logren resultados excelentes.

Recuerden cuando es nuestro próximo encuentro —consulten sus horarios— voy a pedirles a cada uno que nos cuente a todos lo que hicieron y cómo funcionó. Y desde aquí hasta esa fecha, si tienen preguntas, siéntanse libres de hacer una llamada.

CAPÍTULO DIEZ

LA HISTORIA DE MARY Y LAS VENTAS

Unas se ganan y otras se pierden

¡Bienvenidos de nuevo, Mosqueteros! dijo Tony al grupo de los cinco asistentes. "Han pasado tres meses desde nuestra primera reunión, y me imagino que estos han sido meses ocupados y productivos.

He estado esperando el momento de oír sus experiencias. Siempre me ha gustado oír las historias de éxito, por supuesto, pero hay algunas pocas ocasiones en las que los resultados son, digamos, menos de lo esperado, y estas ocasiones siempre son intrigantes. Nos hacen pensar y terminan por enseñarnos nuevas formas de abordar un problema.

Entonces —escuchemos primero a nuestra gerente de ventas. Si recuerdan, Mary tenía a dos representantes de ventas que no estaban alcanzando su potencial máximo —Marvin y Pat. A veces les iba bien, pero con frecuencia desmejoraban. Mary, ¿pudiste convertir a Marvin y a Pat en completas máquinas vendedoras?"

"Pues, Tony", dijo Mary, "permíteme dejarte en suspenso sólo por un momento. Primero quiero contarte lo que hice después de salir de aquí hace tres meses. Empezaré desde el principio:

Después de llegar a casa, revisé mis notas y me puse a pensar en todo lo que habíamos hablado. Particularmente me impresionó tu reacción, Lloyd, cuando Tony te preguntó que hacías cuando Lori a veces traía a casa una calificación más alta. Recuerdo que ustedes dos habían hablado de 'extinción', y cuando vi esa palabra de nuevo en mis notas, llegué a estar más y más segura de que eso era lo que había estado haciendo con Marvin y Pat.

> "Las únicas veces en que de verdad hablé con alguno de los dos fue cuando estaban en uno de sus bajones frecuentes".

Las únicas veces en que de verdad hablé con alguno de los dos fue cuando estaban en uno de sus bajones frecuentes. Cuando mejoraban el desempeño, yo no decía nada. Ni siquiera algo como, 'Que buen trabajo hiciste este mes, Marvin', o 'Así se hace, Pat'.

Empecé a darme cuenta que, como la mayoría de gente, ellos preferirían por lo menos un comentario negativo en lugar de no recibir ningún comentario, como si no existieran. Así que lo que yo estaba haciendo, de manera peculiar, era reforzar un desempeño de baja calidad y castigando o extinguiendo el buen desempeño.

Probablemente recuerden algo que dije al comienzo de nuestra primera sesión —que no estaba segura de la razón por la cual Carlos, Janet y yo estábamos en el mismo grupo con Mike y Lloyd, a quienes les interesaba más el asunto de sus hijos y de las calificaciones. Por supuesto, pronto me di cuenta de lo que teníamos en común, lo cual era la necesidad de motivar a otros a dar lo mejor de sí, sin importar el trabajo o la tarea por cumplir. Y empecé a entenderlo todavía mejor al reflexionar en mi manera de interactuar con Marvin y Pat.

Pero bueno, como ambos casualmente resultaron estar en un bajón de ventas cuando tuvimos nuestra primera sesión, no tenía nada que reforzar cuando volviera al trabajo. Entonces, decidí que la mejor manera de empezar a mover las cosas era con retroalimentación productiva —'confrontación constructiva contra rendimiento bajo', creo que así fue como tú lo llamaste, Tony.

> "Pronto me di cuenta de lo que teníamos en común, lo cual era la necesidad de motivar a otros a dar lo mejor de sí, sin importar el trabajo o la tarea por cumplir".

Regresé y de manera detallada analicé mis notas acerca de retroalimentación productiva. Decidí que tenía que planear cuidadosamente todo lo que quería decirles durante los primeros minutos de la conversación que iba a tener con cada uno de ellos. Escribí cómo iba a referirme al problema de desempeño. Diseñé las preguntas que necesitaba hacer —varias preguntas de orientación al futuro sobre 'qué' y 'cómo'. También escribí cuál podría ser la respuesta de cada uno, así como la manera en que tal vez yo reaccionaría a esas respuestas. Como pueden ver, no quería dejar nada a la casualidad". Los demás se rieron entre dientes, sabiendo muy bien a lo que ella se refería.

"En verdad, es algo medio irónico. Siempre he sido muy detallista, y no me causaría muy buena impresión un representante que vaya a vender un producto sin haber dedicado tiempo a prepararse, a conocer las necesidades del cliente y la mejor manera de abordarlo, y todo lo demás. Pero me di cuenta de que no me estaba preparando para las sesiones de capacitación con todos mis representantes de ventas. Estaba improvisando.

Decidí que, en mi papel de líder como orientadora profesional, tenía que prepararme para cada sesión, especialmente para una reunión sobre productividad, y eso fue lo que hice.

Lo siguiente que hice fue incluir la ayuda de mi esposo. Le pedí que hiciera el papel de Marvin. Empezamos a desarrollar la escena. Resultó ser toda una revelación. Aunque había escrito las preguntas que deseaba hacer, quería que todo fuera lo más realista posible, así que lo hice sin mirar mis notas.

Durante los primeros minutos me fue bien. Pero de repente, me escuché a mí misma preguntar, '¿Pero, por qué bajaron tus ventas?'.

No podía creerlo. Tan pronto como me salieron las palabras de la boca, yo sabía que era la pregunta equivocada. Pero, por costumbre, de todas maneras ya había hecho la pregunta.

Empezamos de nuevo. ¿Pueden creerlo? Unos tres o cuatro minutos después de haber empezado nuestra pequeña dramatización, empecé a hacer preguntas de 'por qué' nuevamente. Fue frustrante. Sabía cuál era la clase de preguntas que necesitaba hacer, pero seguía cayendo una y otra vez en mis viejas costumbres.

A mi esposo le parecía gracioso, lo que me hizo sentir más enfadada. Así que sugerí que invirtiéramos los papeles para que yo pudiera apreciar las cosas desde la perspectiva de Marvin. Secretamente, también quería verlo enredarse con las mismas preguntas, por supuesto. Después de 14 años de matrimonio encuentras métodos más sutiles de venganza. Janet y Carlos soltaron una carcajada al oírla decir esto. Lloyd sonrió y siguió escribiendo en su libreta de apuntes.

Mary continuó: "Pues, yo estaba en lo cierto. Para su propia gran sorpresa, mi esposo también empezó a preguntar 'por qué', tal como yo lo había hecho. Y por supuesto, fue todo un gusto señalarle su error. Pero a la final, aprendí más cuando hice el papel de Marvin que el mío. Cuando mi esposo seguía haciendo preguntas como '¿Por qué perdiste esa venta?', empecé a sentirme más y más molesta. Me sentí como si estuviera bajo ataque. Le daba descripciones detalladas de todas las razones que se me ocurrían para responder porqué no había logrado cerrar la venta o cumplir con la cuota de ventas. Eso me enseñó la diferencia entre tener que responder '¿Por qué ocurrió esta falla?' y '¿Qué podemos hacer para volver al 110% de la cuota?'".

Lloyd dijo, "Probablemente la misma diferencia entre '¿Por qué hay todavía deficientes e insuficientes en tu libreta de calificaciones?' y '¿Qué podemos hacer para que en todas la materias llegues por lo menos a satisfactorio?'".

"Exactamente", dijo Tony.

Mary continuó, "Pasamos casi toda la tarde dramatizando el 'Show de Mary y Marvin'. Después me demoré más o menos una hora dando unos retoques y memorizando lo que quería decir. Parece demasiado tiempo, pero estaba decidida a cumplir bien con mi papel. Me di cuenta de lo importante que era —no sólo para que Marvin volviera a entrar en la dinámica de las ventas, sino también para usarlo con mis demás representantes. Creo que algunas veces estamos tan ocupados que nos olvidamos que la capacitación es en verdad el núcleo de nuestro trabajo. Pasar unas cuantas horas aprendiendo cómo ser mejor orientador de ventas podría resultar en muchas ventas y muchos miles más en ingresos adicionales.

La mañana siguiente, le pedí a Marvin que pasara por mi oficina para la reunión de rutina, en la cual consideramos las cifras actuales de ventas y las tendencias que se espe-

> "Pasar unas cuantas horas aprendiendo cómo ser mejor orientador de ventas podría resultar en muchas más ventas y muchos miles más en ingresos adicionales".

ran durante los meses siguientes. Hablamos de esto y de aquello por unos cuantos minutos. Luego dije, 'Marvin, estuve revisando tu desempeño de ventas durante de los últimos doce meses, y veo que has estado entre el 80% y el 120% de la meta. Veo tu gran capacidad y hay muy pocas personas que puedan igualarte. Cuando estás conectado, eres uno de los de mejor desempeño. Yo sé hasta dónde puedes llegar, y tú también lo sabes. Estoy tratando de ver qué podemos hacer para que te mantengas con más regularidad entre el 110% y el 120% de la meta".

"¿Es exactamente así como lo dijiste?", preguntó Tony. "Sí, estoy segura. Practiqué una y otra vez hasta memorizarlo a la perfección, y hasta que sonara natural. Me parecía importante arrancar con el pie derecho.

Yo sabía que Marvin no ansiaba este tipo de conversaciones 'frente a frente', y precisamente su reacción inicial fue la de evadir mis preguntas de 'cómo podemos'. Cuando le pregunté cómo podíamos subir las ventas al 120%, él dijo, 'Eso está difícil. La situación de los mercados esta apretada en el momento'.

"Entonces yo dije, 'Sí, yo sé que el mercado ha estado difícil. Entonces, ¿cómo podemos arreglárnoslas a pesar de eso para volver al 120%?'

Él dijo: 'La competencia es verdaderamente feroz'.

"Seguimos en ese intercambio por unos cuantos minutos y él seguía dándome excusas generalizadas sin demostrar ningún entusiasmo. Yo empezaba a preocuparme pensando que mi enfoque estaba equivocado. Pero como estaba haciendo un esfuerzo concienzudo por modificar mi propio comportamiento y estaba prestando buena atención a sus respuestas, gradualmente me di cuenta de que algo interesante estaba pasando.

Por lo general, en estas charlas, Marvin y yo nos tratábamos de manera un tanto hostil, luego bajábamos el tono, pero nunca lográbamos resolver nada en particular. Una vez terminada la reunión, él se iba medio enfadado, y las ventas subían por un tiempo, y luego el ciclo empezaba otra vez.

Pero esta vez, me parece que mantuve la calma y la objetividad, enfocándome más en el asunto de cuál era el rumbo futuro, y muy poco —sólo cuando volvía a mis viejas costumbres— de criticar a Marvin por el pasado. Él seguía evadiendo y esquivando el tema, pero yo mantuve la calma y le hice volver al tema de cómo podíamos sobrepasar las dificultades.

"Finalmente, sintiéndome ya un poco frustrada, dije, 'Marvin, yo sé que la situación está difícil, y que la competencia es feroz, pero también sé que puedes llegar a 120% y quedarte ahí porque conoces tus productos y a tus clientes. Y ya que eres mi experto te estoy preguntando, ¿qué podemos hacer para pasar de aquí a allá y lograr ese objetivo?'.

Pues, de repente, la represa reventó. Empezó a darme una lista de ideas. Algunas medio dudosas, pero otras mucho más fuertes y llenas de potencial. Se podía ver que le molestaba y frustraba que le siguiera haciendo la misma pregunta una y otra vez. Pero me daba cuenta de que estaba tan enojado con él mismo como lo estaba conmigo. Pero una vez empezó a soltar ideas, no se detenía.

Al final, me prometió dos cosas. Primero, que se iba a enfocar en Caribou Creek Gold. Ese es nuestro producto de primera línea; es el que deja los márgenes más altos de utilidad. Me prometió un aumento de ventas de volumen de Gold del 12% sin perder el porcentaje de ventas de los otros productos de esa línea en particular. Me pareció razonable, puesto que aun si los demás bajaran todo un 12%, nuestros ingresos por ventas en general aumentarían, al igual que nuestro margen neto. También estuvo de acuerdo en enfocarse en diez cuentas de alto potencial y aumentar el volumen en cinco de ellas un 10% dentro de 90 días. Hicimos las cuentas observamos que, de ser así, sus ventas lo ubicarían entre el 100% y el 120%.

Desde aquella primera reunión, cada viernes nos reunimos y conversamos por unos cuantos minutos acerca de sus actividades y su progreso. ¿Y adivinen qué? Las ventas de Caribou Creek Gold han subido, ¿listos para lo que viene? No sólo 12%, no un 24%. ¡Han subido el 87%! Y las ventas de los demás productos no han bajado, de hecho, ¡han subido casi el 1%! Yo no me habría imaginado esto por nada del mundo. Pero es la verdad, toda la verdad y nada más que la verdad.

Al final de cuentas: esa sesión de orientación la hice en la primera semana de haber vuelto al trabajo. Marvin estaba en el 81%. Cuatro semanas después, las ventas en general habían subido un porcentaje de 17 puntos, y siguen subiendo. Ahora mismo están por el 115% y siguen aumentando".

"¡Eso es genial!", exclamó Tony. "Hiciste un muy buen trabajo. Y ahora, ¿qué nos dices de Pat?".

"Ah, sí, Pat. Obviamente, él estuvo incluido en el ensayo que hicimos con mi esposo. Y planeé todo tal como lo hice en el caso de Marvin. Al decir verdad, la primera parte de la conversación pareció mejor de lo que fue con Marvin. Él hizo promesas, hicimos reuniones, y apliqué el refuerzo, tal como lo hice con Marvin.

¿Y qué pasó? Nada. Las ventas de Pat medio divagaron de arriba para abajo como lo habían hecho antes. Yo me crié en Texas, y cuando alguien tenía buenas ideas, pero de ahí no pasaba, solíamos decir, 'Se cree vaquero, pero ni siquiera tiene caballo'. Pues Pat era un vaquero, pero sin caballo".

"¿Y?"

"Hace cinco semanas le di treinta días para mejorar su desempeño al 95% y mantenerlo allí o sobrepasar esa meta".

"¿Y?"

"Llegó al 90% en dos semanas. Y luego volvió a bajar".

"¿Y ahora por dónde está?".

"No está en nada. Ya no trabaja para mí. Lo despedí hace tres días. En retrospectiva, no enfrenté la situación con la prontitud necesaria, no lo hice en el caso de Marvin, y con toda certeza, tampoco lo hice en caso de Pat. Para mí la mitad de la batalla fue enfrentar la situación. La verdad del asunto es que no despedí a Pat. Su desempeño fue lo que lo despidió. Yo sólo entregué el mensaje.

Lo que me gusta de este enfoque es que me da la confianza de poder enfrentarme en el futuro a cualquier situación de mal desempeño. Es una posición intermedia buena, y firme. Está entre levantar la voz y gritar por un lado, y ser blanda por el otro. Para mí es perfecto".

> "En retrospectiva, no enfrenté la situación con la prontitud necesaria".

CAPÍTULO ONCE

LA HISTORIA DE JANET CON LA INDUSTRIA DE LA SALUD

Construyendo el trabajo en equipo

¿Quién sigue?, preguntó Tony, mirando a su auditorio. "¿Janet?".

"Estoy lista", dijo Janet. "Como recordarán mi caso es algo distinto debido a que yo quería lograr algo que era más difícil de medir comparado a lo que la mayoría de ustedes estaban haciendo. En lugar de números en una gráfica, como los volúmenes de ventas y cantidades en dólares como en el caso de Mary, yo sabía que nuestra retroalimentación tendría que ser más subjetiva. Recuerdo nuestra conversación en cuanto a tratar de seleccionar unos cuantos objetivos clave y llevar un registro de la frecuencia con que las enfermeras y yo concordábamos en cuanto a si estábamos alcanzando esos objetivos o no. Pero sigue siendo un método de medición 'frágil' comparado con otros.

Tony, tú nos mostraste que términos como 'de gran motivación' o 'buen trabajo de equipo' no sirven de mucho, a menos que se pueda describir específicamente lo que quieren decir. Así que decidí que lo primero que tenía que hacer era crear una lista de las cosas que para mí significaban buen trabajo en equipo. Me pregunté a mí misma, '¿Lo reconozco cuando lo veo?' La respuesta fue sí. Entonces empecé a escribir la manera en que se nota el trabajo en equipo cuando lo veo en acción. Se me ocurrió una lista de cuatro tipos específicos de comportamiento que podría monitorear y reforzar.

> "Me pregunté a mí misma: ¿Reconozco el buen trabajo en equipo cuando lo veo?"

Mi primera medida de trabajo en equipo es la eficiencia con la que se pone al tanto de la situación a los nuevos. Debido a la escasez de personal de enfermería y los horarios de rotación, tenemos que hacer reemplazos constantemente, y aún así, con frecuencia tenemos que contratar a personal temporal para que nos ayude. De cualquier manera, es importante que estas personas nuevas se sientan cómodas en su trabajo lo más pronto posible. ¿Qué comportamientos son importantes para lograrlo? Puedo pensar en unos cuantos. Primero, tenemos que darles la bienvenida y las gracias por estar allí. Les mostramos dónde están los suministros y cómo llenar el papeleo. Les enseñamos cuáles son nuestros protocolos de cuidado del paciente. En lugar de inundarlos con trabajo, al principio les damos los casos menos complicados y tareas más fáciles hasta cuando entren en el ritmo de trabajo. También les hacemos saber que estamos listos para ayudarles de cualquier forma que podamos y responderles cualquiera y toda clase de preguntas.

Segundo, para mí una buena señal de trabajo en equipo es ver a dos enfermeras trabajando juntas en una tarea. Por lo general, eso ayuda a facilitar el trabajo, y es un comportamiento identificable, así que es fácil tomarlo en cuenta.

El tercero es la comunicación. Agrupé varios comportamientos bajo este encabezamiento. Uno de ellos es escuchar con cuidado, porque cada partícula de información es importante cuando tienes que cuidar pacientes, y escucharse el uno al otro es parte del buen trabajo en equipo. Pero la otra cara de la moneda es que no basta con sólo escuchar. Tienes que contar con la capacidad y la disposición de expresarte a ti mismo, porque no es buen trabajo en equipo el que sólo una o dos personas dominen la conversación y los demás nunca hagan saber sus opiniones.

La comunicación fue algo interesante para mí porque me di cuenta de que tenía que cambiar mi propio comportamiento. Anteriormente, cuando hablaba con grupos de enfermeras, debí haber notado que algunas de ellas, a través de su lenguaje corporal intentaban indicarme que tenían algo que decir, pero se retraían de hacerlo. Yo seguía en la marcha y continuaba con el siguiente tema. Ahora me di cuenta de que debía escuchar lo que pensaban, averiguar lo que querían decir, y lograr que participaran de manera más activa. Tuve que aprender a decir: 'Emily, puedo darme cuenta que tal vez tienes algún comentario en cuanto a esto. De verdad que me gustaría mucho escucharlo, porque creo que lo que tienes que decir va a ser de mucha ayuda.'

Pronto descubrí que las personas aprenden rápidamente por el ejemplo de otros. Después de haber logrado motivar a algunas enfermeras a expresarse de esta manera, una de las enfermeras con mayor antigüedad en el trabajo, y quién tiene la tendencia de dominar la conversación, empezó a dirigirse a las enfermeras más calladas del equipo y a pedirles su opinión. Esta fue otra medida de buen trabajo en equipo, una en la que yo no había pensado. Secretamente estaba muy complacida de ver lo que estaba pasando y me felicité a mí misma por ser tan buen ejemplo.

Más tarde, un par de días después, caí en cuenta de algo: No había hecho nada para reforzar este nuevo comportamiento.

¡Lo estaba extinguiendo en el preciso momento en que empezaba a brotar! Así que me aseguré de hacerle saber a aquella enfermera que mencioné cuanto apreciaba el que ella hubiera hecho participar a todos en la conversación, y que con toda seguridad esto iba a mejorar nuestro trabajo en equipo.

Mi cuarto indicador de trabajo en equipo, uno que también está relacionado con la comunicación, es compartir información libremente. Con mucha frecuencia, y yo sé que esto pasa en otras organizaciones, la gente, de manera consciente o inconsciente, acapara información que es vital para el trabajo en equipo. Así que en cualquier ocasión en que noté a alguien compartiendo información, reforcé ese comportamiento. Por supuesto, hay muchas cosas que no se pueden compartir en un hospital, como la información confidencial o la historia médica, pero animé al personal a que compartieran información apropiada en cuanto a los pacientes o miembros del personal. Por ejemplo, cuando recientemente falleció la madre de Mary Jones, una de nuestras amas de llaves, y cuando la hija de uno de nuestros pacientes fue elegida presidenta del consejo estudiantil.

Elaboré esta lista unos tres o cuatro días después de mi regreso. He asistido a muchos seminarios, y siempre vuelvo con todo el entusiasmo del mundo, pero luego me dejo envolver por mi trabajo otra vez y sigo dejando todo para más tarde. Pero recordé lo que dijiste, Tony, acerca de empezar en la primera semana, así que me obligué a sentarme una noche y a poner algo por escrito.

Una vez que tuve la lista en mis manos, recibí una gran sorpresa, me di cuenta de la cantidad de oportunidades que pasé por alto de brindar refuerzo a las personas que estaban haciendo precisamente lo que yo quería que hicieran. Alguien hacia algo, y uno o dos minutos después yo pensaba, pero claro Janet, eso es buen trabajo en equipo, y ¿por qué no se lo dices?'. Hacer la lista me ayudó a darme cuenta de estos comportamientos. Sin esa lista, jamás habría notado todo el trabajo en equipo que estaba extinguiendo.

Luego, empecé a ver otros ámbitos en los que estaba pasando por alto el trabajo en equipo. Había empezado notando el trabajo en equipo dentro del departamento, pero también hay trabajo en equipo entre departamentos, y muchas veces, eso es todavía más difícil de lograr.

> "Estaba pasando por alto oportunidades de brindar refuerzo a las personas que estaban haciendo precisamente lo que yo quería que hicieran".

Había un departamento en especial con el que habían ciertos choques; era el de la sala de operaciones. No estábamos exactamente peleándonos con ellos, pero sin duda alguna la situación era tensa. Una manera en que ellos nos pueden ayudar bastante es avisándonos de antemano lo que van a hacer con un paciente —que lo van a traer a las 3:15 en vez de las 3:30, o que se necesita ponerle un suero intravenoso, o algo así. Pues, a veces nos avisaban y a veces no, y cuando no avisaban, por lo general nos generaba muchos problemas.

Empecé a pensar en varios incidentes que habían ocurrido recientemente. Repasé mentalmente algunas de las conversaciones en las que habíamos terminado enojados por parte y parte —y descubrí que eso pasaba por lo general cuando hacía preguntas de 'por qué'. Casi siempre era algo así como: 'Usted sabe que sería de mucha ayuda para nosotros si nos avisan de antemano lo que van a hacer, entonces, ¿por qué es que ustedes nunca nos avisan con antelación?' A decir verdad ellos sí estaban haciendo las cosas más o menos bien, pero no tan bien como podían. Por supuesto, cada vez que yo hacía una pregunta de 'por qué', ellos me daban una respuesta de 'es que...', justo de la misma forma en que Marvin y Pat le respondían a Mary.

Así que en nuestra siguiente reunión, les aclaré que sólo íbamos a hacer preguntas de 'qué' y 'cómo': '¿Qué podemos hacer para me-

jorar el asunto juntos?' '¿Cómo podemos mejorar de nuestra parte?'
Me agradó ver que esto salió muy bien —principalmente, creo yo,
porque la manera en que lo dije dio a entender que era un asunto
que nos concernía a todos. Y resultó que había algunas áreas en las
que no estábamos cumpliendo con nuestra parte. Todos salimos de
aquella reunión con un mayor sentido de logro en cuanto al asunto.

Luego decidí incluir la ayuda de Ben, nuestro administrador de
planta. Él cumple una función crucial —hace la solicitud del los exámenes de laboratorio, recibe las radiografías, y se asegura de que se
le administren los medicamentos al paciente. Él tiene que coordinar
con el departamento de ingreso de pacientes, la sala de cirugía, la
sala de urgencias, y todos los demás departamentos. Así que llevé a
Ben a almorzar un día. Brevemente le expliqué los tres principios de
expectativas, responsabilidad y retroalimentación, y le pedí que me
hiciera un favor durante los siguientes treinta días. Le pedí que prestara atención a las cosas que otros departamentos estaban haciendo
para ayudarnos, y que se asegurara de brindarles refuerzo cinco o
diez veces al día.

Claro está, los dos tuvimos que pensar en una lista de comportamientos positivos que notar —cosas como si ellos nos llamaban para
avisar que traían a un paciente.

Ben había estado haciendo un muy buen trabajo de refuerzo y
otros departamentos estaban haciendo un buen trabajo al ayudarnos. Pero después de almorzar juntos, Ben empezó a reforzar de manera más específica. Decía cosas como 'Muchas gracias por llamar.
Un aviso de cinco o diez minutos nos ayuda y nos permite tener todo
listo de una mejor manera. De verdad que lo agradecemos tremendamente'. Ahora los demás departamentos han mejorado todavía
más cuando se trata de comunicarse con nosotros. Lo hacen más
como si fueran parte de nuestro propio equipo.

Hace unas dos semanas empecé a usar unas de estas técnicas
con los doctores. Bueno, ya saben cómo son los médicos —algunos creen que son el equipo entero. Entran en una sala para hacer
una operación, y cuando salen, parece que hubiera pasado por allí

un tornado, y las enfermeras son las que tienen que limpiar todo. Entonces cuando veía que un doctor ayudaba arrojando algo en la basura en lugar de tirarlo al piso, le decía de cuanto valor era eso para las enfermeras y para mí.

Ahora, estamos hablando de apenas uno de los médicos, y es la única vez durante las últimas dos semanas que lo he visto en una situación en la que él podría ayudar de esa manera. Y todos sabemos que una sola vez no lo cambia todo. Pero creo que está funcionando.

No quiero dar la impresión de que todo esto haya sido fácil. La reunión con los de la sala de operaciones causó más rechinar de dientes de lo que quisiera hablar. Y si tuviera que hacerlo otra vez, probablemente habría hecho participar más a mi grupo en llegar a determinar lo que constituye buen trabajo en equipo. Pero los resultados son tal como lo he dicho. Es tal como nos dijo Tony: la parte difícil es cambiar nuestro propio comportamiento.

Hubo algo más que pasó en otra área que ni siquiera tiene que ver con trabajar en equipo —por lo menos no directamente. Los voluntarios cumplen una función tremendamente importante cuando se trata del área de la salud. Tenemos voluntarios en los laboratorios, los que llevan el carrito de archivos, otros trabajando en nuestro Centro Nueva Vida —están por todas partes. Y que no se piense que 'voluntario' significa 'andar paseándose y sonriéndole a todo el mundo', todas estas personas tienen que pasar por un proceso de selección, orientación y entrenamiento. Su trabajo tiene una descripción de deberes y tienen un supervisor. Pero, obviamente, por ser voluntarios no reciben ninguna remuneración económica.

Un día me sobrevino a la mente el hecho de que, aunque sentía un aprecio enorme por la labor de estas personas, no lo estaba expresando de forma suficiente. Entonces cuando al día siguiente llegó el carrito de los archivos, me acerqué a la voluntaria que lo llevaba y le dije cuanto apreciaba su contribución al bienestar de nuestros pacientes, su sentido de compromiso por su recuperación, su participación en la comunidad, y un sin número de otras maneras en las que ella estaba poniendo de su parte. Reconocí toda su dura labor.

Se conmovió tanto, que le empezaron a rodar las lágrimas. Sonrió sutilmente y dijo, 'Muchas gracias. Eso significa mucho para mí'.

Y desde entonces, cada vez que pasa por aquí me da una breve sonrisa. No estoy segura de que eso haya cambiado la manera en que hace las cosas, pero ella se siente mejor y yo también. Tal vez el trabajo en equipo haya mejorado por lo que yo hice, o tal vez no. Pero era lo que debía hacerse.

Les voy a decir algo. Mi departamento funciona mucho mejor ahora. Las cosas marchan sin problema. Estamos trabajando en equipo cada vez mejor. La comunicación ha mejorado, y los demás departamentos están cooperando más. Siento que estoy cumpliendo mi papel de líder de manera más eficiente. Siento que estoy marcando más claramente la diferencia y que estoy causando un efecto más positivo en la vida de otras personas. No puedo decir que nuestro trabajo en equipo haya mejorado los signos vitales de nuestros pacientes, o que se les está dando de alta más rápido, pero lo que les puedo decir es que, en general, se ven más alegres y de buen ánimo. Y eso quiere decir que se van a mejorar más pronto.

Aunque el área que escogí no se podía cuantificar fácilmente, resultó ser algo no muy complicado en lo cual trabajar. Ahora que ya sé manejar las herramientas y las técnicas, voy a poner manos a la obra en algo más. No sé en qué, pero haber aplicado estas tres claves en mi 'proyecto' ha pulido mis destrezas en esta área, así que estoy buscando un proyecto nuevo.

Además, me ha beneficiado. Hace como dos semanas mi esposo me dijo: 'Te ves mucho más contenta con tu trabajo últimamente'. Le dije que tenía la razón. Él me preguntó por qué, y le dije que era por lo que había aprendido en este programa.

"'¿Cómo es que se llama ese programa?' preguntó. Le dije, *Saca a relucir lo mejor en los demás.*

"'Bien,' dijo él, 'parece que ha sacado a relucir lo mejor de ti también'".

12

LLOYD Y SU HISTORIA COMO PADRE

Las cosas que verdaderamente cuentan

"Y bien, Lloyd", dijo Tony, "¿Estableciste un plan con Lori para mejorar sus calificaciones y hacer que su alcoba fuera más ordenada?".

"¡Les tengo noticias estupendas! Ambas situaciones se resolvieron. Y mucho más que eso, los últimos noventa días resultaron ser un período de profunda reflexión e introspección para mí. Permítanme explicaselo.

Luego de nuestra sesión de hace tres meses, Mike y yo nos encontramos para almorzar. Quería tener la perspectiva de un maestro y preguntarle cuál de los tres factores —es decir, expectativas, responsabilidad o retroalimentación— me ayudaría más para hacer que las calificaciones de Lori mejoraran. Él me dijo que había algo mucho más importante que debía ocurrir antes.

Me dijo que lo más importante que debe crear un maestro o un padre es un entorno de seguridad. 'Para aprender', me dijo, 'los niños necesitan sentirse seguros en sentido físico y emocional'.

"Yo le pregunté, ¿Qué significa exactamente la expresión seguros emocionalmente?.

"'Los niños son muy vulnerables en sentido emocional, Lloyd', me dijo. 'Su temor más grande es quedar como tontos o estúpidos frente a otros. Y los profesores fijan la norma. Si el profesor menosprecia o ridiculiza a un estudiante por hacer algo mal, eso representa una humillación pública. Los demás estudiantes se dedican la mitad de su tiempo a molestar o a sentir lástima por el niño perjudicado, y la otra mitad de su tiempo a temer que les pase lo mismo. Ello crea una atmósfera de aprendizaje muy enrarecida'.

"Entonces dijo, "Corrígeme si estoy equivocado Mike, pero, sentirse emocionalmente seguro es entender que cometer errores no es el fin del mundo'; agregó que cometer errores, de hecho representa un factor positivo, ya que es la mejor manera de aprender. Intentamos cosas nuevas, exploramos, y por lo general, tropezamos algunas veces. Pero cuando cometemos un error, lo recordamos vívidamente, y para evitar cometerlo de nuevo, nos vamos en otra dirección. Me gustó mucho como resumiste el asunto, Mike, y de hecho, lo escribí después. Tú dijiste, 'Los errores nos guían hacia la verdad'.

> "Sentirse emocionalmente seguro es entender que cometer errores no es el fin del mundo".

"Me habló de un profesor de jardín infantil — ¿por qué no lo cuentas, Mike?".

"De acuerdo", dijo Mike. "Se trata de alguien con quien trabajaba antes en otra escuela— su nombre era Avis Murphy. Los niños salían de su salón de clases como aprendices sin ningún tipo de temor. Ella desechaba completamente la idea de los errores —hasta desestimulaba el uso de la palabra. Ella llamaba al proceso 'oportunidades de aprendizaje', y a los niños todo ello les encantaba. Cuando sucedía que alguien fallaba, o los planes no salían como se esperaba, o las cosas no salían como se suponía que debían ser, decían, 'Caramba, esta es otra oportunidad de aprender'. Y luego hablaban sobre lo que se había aprendido del tema. Nadie se sentía mal por haber cometido un 'error de aprendizaje', y nadie se sentía devastado. A veces Avis cometía un error y los niños decían, '¡Oye, esa es una buena oportunidad de aprendizaje, señorita Murphy!'.

"Los niños son curiosos por naturaleza. Quieren saberlo todo. ¿Han estado alguna vez con preescolares? Todo el día escuchas las preguntas, '¿Qué es eso, papi?' y '¿Por qué esto, mami?'. Tu puedes crear un entorno donde no haya tal cosa como una pregunta estúpida, y donde los errores no sean tan malos, sino que hagan parte del aprendizaje, y que los niños a tu alrededor se sientan que alguien se interesa por ellos. Ellos sienten ese interés y ese amor, en la forma como les hablas y en la forma como actúas cuando estás a su lado, y por la forma como saludas a los visitantes que vienen a tu salón de clase, la forma como los tomas de las manos o les das un abrazo. Y eso es cierto tanto en la escuela como en el hogar. Así, puede florecer su curiosidad natural, que es su primer vínculo con el conocimiento y con la experiencia. Dentro de los límites de lo seguro, por supuesto —no podrás permitir que un niño se ponga una capa de Superman para ver cómo es que él vuela desde un edificio de tres pisos".

"Concuerdo con Mike", dijo Lloyd. "Qué gran dedicación de esta maestra Avis Murphy. Cuando me estabas contando acerca de ella me hiciste dar cuenta que los hijos necesitan saber y sentir que los amas de forma incondicional y que sus errores no hacen que los ames menos.

La historia de Mike también me hizo pensar respecto a la clase de entorno que estaba creando para Lori. Me decía a mí mismo que estaba haciendo lo mejor posible para darle seguridad a ella, tanto a nivel físico como emocional. Después de todo, ¿no estaba dándole yo un techo y no le estaba dando ropa, alimento, libros y música, todas las cosas que son importantes para el desarrollo intelectual de un hijo? ¿No estaba yo mostrando interés en cómo iba la escuela?

Pero había ese nudo en mi estómago. Y en los siguientes días ese nudo se hizo más grande y fuerte. Me había hecho consciente de que había sido culpable de extinción pero que no estaba reforzando de forma positiva las mejoras de Lori, aunque fueran pocas y mínimas. Empecé a pensar que había sido demasiado duro con ella, y que me había concentrado demasiado en las cosas negativas. A pesar de mis buenas intenciones, no estaba haciendo mucho para ayudarla.

> "Los hijos necesitan saber y sentir que los amas de forma incondicional y que sus errores no hacen que los ames menos".

Asumía que ella sabía que ella me interesaba y que la amaba no importa lo que pasara. Asumía que ella se sentía segura de todas las maneras. Pero cuando intenté ponerme en el lugar de Lori y de ver las cosas desde su óptica me di cuenta que todo eso no era necesariamente cierto, que posiblemente ella no sentía que la amaba incondicionalmente.

Desde la perspectiva de ella, debió parecer que mi amor era condicional. Sí, yo estaba allí, para no decir mucho, más o menos en el fondo, mientras ella luchaba por arreglárselas con la escuela. Pero cuando tenía una calificación baja, allí es donde tenía mi atención. Mi presencia se tornaba negativa en las sombras, lista para dar el zarpazo cuando cometiera algún error.

Llegar a verme a mí mismo de esta forma no fue agradable. Era implacable en reclamar responsabilidad pero nunca hacía nada para dar refuerzo motivacional. También estaba haciendo un trabajo pésimo en lo relacionado con la retroalimentación de desarrollo. Y aunque sabía que ella podía tener un mejor desempeño, creo que mis expectativas se habían puesto demasiado bajas, y ella probablemente percibió eso.

Yo me estaba convirtiendo en un anti –Pigmalión —estaba convirtiendo a una mujer prometedora en una piedra triste y monótona.

Luego de confrontarme durante algunos días con esto, decidí que lo primero que debía hacer era crear un entorno donde mi hija se sintiera segura, como Mike muy bien lo había ilustrado. Así que emprendí los pasos que Tony había descrito —déjame ver si recuerdo la expresión de seis dólares que utilizaste, Tony— 'confrontación de apoyo al bajo rendimiento'". Todo el mundo en la sala se rió, incluido Tony.

Así que decidí aplicar todo ello a mi propio comportamiento. Decidí que hablaría con Lori, pero esta vez no hablaríamos de sus notas. Hablaríamos de nuestra relación.

Cuando le dije que quería hablar con ella, me hizo una de esas miradas que hacen los jóvenes hacia arriba y se dejó escurrir en una silla. Entonces le dije: 'Cariño, sé que piensas que voy a hablarte de las calificaciones otra vez. Pero no vamos a hablar de eso hoy. Lo que deseo pedirte es que me ayudes con algo'. Cuando dije esto, ella se quedó mirándome fijamente.

Yo continué: 'Quiero que sepas que mi compromiso es el de ayudarte a lograr mejores calificaciones. Pero lo que quiero que hagas ahora es que me digas qué tan bien lo estoy haciendo. ¿Te estoy apoyando lo suficiente?'.

Ella se encogió y me dio una de esas respuestas típicas de los adolescentes: 'Sí, supongo que sí'.

Yo lo intenté de nuevo: "La forma como yo te hablo de tus notas ¿te está ayudando o te está haciendo daño?", le pregunté con bondad.

"No lo sé", dijo.

Y la conversación se tornó igual durante varios minutos. Entonces recordé sobre lo que aprendimos respecto a las preguntas 'qué' y 'cómo', preguntas sobre el futuro. Le pregunté: "¿Qué no estoy haciendo para apoyarte y que pudiera estar haciendo? ¿Cómo puedo apoyarte de una mejor manera?"

De repente, su voz se quebró y empezó a llorar, y yo me sentí terrible porque entonces supe que no se sentía segura conmigo. Ella no sentía que la amara incondicionalmente.

Ella me dijo que yo nunca estaba feliz con ella, que vivía en temor de traer a casa la libreta de calificaciones porque sabía que me iba a enojar. Me dijo que cuando alguna de sus notas mejoraba, yo parecía no notarlo, pero si alguna desmejoraba, enseguida me concentraba en esta. Ella sentía que no había forma de poder ganar.

De modo que pasé casi una hora intentando poner los fundamentos de un entorno seguro para ella. Ella me hablaba a gritos. Sollozaba de forma incontrolable. Lloraba en silencio. Me abrazaba. Yo cedí al llanto. Le dije que lo sentía. Tuvimos un verdadero diálogo. Hablamos de forma honesta y abierta por primera vez en la vida.

Yo era una montaña rusa emocional, tengo que admitirlo. Le dije que ahora podía discernir que para ella yo parecía como estar buscando razones para criticarla, pero que eso era lo mejor que había podido hacer con mis habilidades limitadas. Le dije que había aprendido mucho en los días anteriores a nuestra charla y en las horas inmediatamente anteriores, y que me esforzaría mucho por no ser negativo. Le dije que quería que se sintiera segura de pedirme ayuda ante cualquier problema que pudiera enfrentar.

Al final ella dijo: "Padre, ¿tú realmente crees que puedo obtener buenas calificaciones?"

Le dije: "Estoy completamente seguro de ello, cariño".

Ella dijo, "¿Lo estás? ¿Qué tipo de calificaciones crees que puedo alcanzar?"

Yo le contesté: "Bien, ¿qué clase de notas crees tú que pudieras estar alcanzando?"

Ella dijo: "Bueno, sólo quedan tres semanas en este período, pero creo que puedo conseguir que todas mis asignaturas tenga una C en esta oportunidad".

Yo le dije: "Apuesto a que puedes lograrlo. Y si todo funcionara muy bien y pudieras conseguir una B en alguna asignatura, ¿cuál crees que pudiera ser?"

Ella dijo: "Inglés"

Yo le dije: "¡Grandioso! Y quiero que sepas que puedes acudir a mí en cualquier momento. Haré lo mejor de mi parte para ayudarte a alcanzar tu meta".

Durante las tres semanas siguientes, mantuve registro de mis respuestas de retroalimentación; en realidad pude mantener una proporción de cinco positivas a una. De modo que al menos pude tener éxito en cambiar mi propio comportamiento. La felicitaba cada vez que la veía estudiar, y decía cosas positivas cada vez que ella traía una buena nota en un examen escrito. Si alguna nota no era como se esperaba, ni siquiera la mencionaba. La segunda vez que eso pasó, ella me dijo: "Oye, papá, no dijiste nada sobre los 68 puntos en mi prueba de Matemáticas". Le dije que me imaginaba que ella sabía que necesitaba mejorar y que me pediría ayuda si la necesitaba. Creo que ella me estaba probando, porque después de eso no volvió a mencionar sus notas bajas, y yo tampoco lo hice.

Después de las tres semanas, mi hija trajo la libreta de calificaciones. En esta ocasión traía una gran sonrisa en su rostro. ¡Obtuvo cuatro Ces y dos Bes! Y terminó el semestre del mismo modo. Estaba radiante. Y no me importa decírselos, pero me sentí bastante bien conmigo mismo. Creo que yo aprendí mucho más que ella de todo esto.

Y ahora que ella está trayendo mejores notas cada semana, veo que está ganando confianza en todos los campos. Puedo verlo en todo lo que hace. Se ve más feliz, su madre se ve más feliz, y yo estoy más feliz.

Llamé a Mike y le agradecí por su consejo oportuno. Pero después estuve pensando y me di cuenta que había otro, tal vez otros dos profesores que también me habían ayudado muchísimo.

Así que llamé a la profesora de inglés de Lori y le dije que había notado las grandes mejoras en las calificaciones de Lori últimamente y que me preguntaba si ella lo había notado también. Me dijo que, de hecho, sí las había notado. Le dije que su trabajo con Lori estaba dando resultados, y se lo agradecí. Ella dijo: "Sabe, nosotros hacemos una parte aquí en la escuela, pero ustedes deben estar haciendo algo también en casa, porque Lori está viniendo a clase mucho más preparada y con más deseos de aprender, así que a mí también me gustaría agradecer eso".

Esta maestra parecía estar sorprendida de que la hubiera llamado. Supongo que no recibe muchas llamadas de padres agradecidos, y posiblemente no recibe mucho refuerzo positivo de parte de los estudiantes, de sus colegas y del director. Pero por el trabajo que hacen, los profesores merecen mucho reconocimiento, y me alegra haberlo dado a esta maestra como refuerzo a su labor. Supongo que nos estábamos dando refuerzo el uno al otro.

> "Los profesores merecen mucho reconocimiento, y me alegra haberlo dado a esta maestra como refuerzo a su labor".

Me sentí tan bien diciéndole estas cosas a ella, y ella pareció apreciarlo tanto, de modo que de inmediato llamé a todos los demás profesores de Lori e hice lo mismo. Más tarde, le estuve hablando a mi hermana sobre esto, y ella me dijo: "No sé si lo recuerdas, pero la tasa de retroalimentación de papá y mamá era de una positiva por cada cien negativas". Lo cual posiblemente cierto en la mayoría de situaciones. Pasamos más tiempo quejándonos de lo que está mal, en vez de notar lo que está bien".

"Así que, Lloyd, esas son excelentes noticias sobre las notas de Lori", dijo Tony. "Ahora, ¿qué hay del otro tema, su alcoba?".

Lloyd sonrió. "Bueno, esa es la parte más interesante del proyecto. No sé qué ha hecho ella al respecto. Pienso que ahora está más desordenado que nunca".

"¿Lo crees?".

"Sí, a decir verdad no lo he visto durante tres semanas. Y no quiero verlo". Mary y Janet se rieron. Mary se inclinó hacia Janet, y en una forma de susurro, dijo, "Se debe ver como se veía mi alcoba a esa edad". La entera sala estalló en risas, pero la risa de Lloyd se escuchó aún más.

Después de un momento, Lloyd continuó: "Permítanme contarles lo que sucedió. Alrededor de un mes después de que habláramos sobre sus notas, me estaba sintiendo tan virtuoso por mis nuevas habilidades como padre, de modo que decidí abordar el tema de la alcoba desordenada. Me senté con Lori y empecé a hacerle la clase de preguntas correctas.

Su reacción me sorprendió. No se puso furiosa ni a la defensiva. Simplemente dijo, de forma muy calmada: "Yo no entiendo porqué es tan importante que mi alcoba esté tan ordenada. Después de todo es mi alcoba no tu alcoba".

Yo dije, 'Sí, pero tu madre y yo tenemos que verla porque está justo frente a las escaleras".

Ella contestó: "Entonces, simplemente cerraré la puerta. Dices que no les gusta mirar a lo que consideran un desorden. Eso resuelve el problema".

Eso me hizo frenar en seco. Ella tenía razón. Era su alcoba.

En lo único que pude pensar fue en llamar refuerzos —a la madre. Entramos en negociaciones. El asunto no se podría convertir en un peligro de incendio, dijimos, ella estuvo de acuerdo. Si algunas prendas de vestir resultaban dañadas por estar en el piso, nosotros no las reemplazaríamos. Ella estuvo de acuerdo. Si llegábamos a sentir algún olor con la puerta cerrada, ella tendría que limpiarlo. Ella concordó una vez más.

Implicó un poco de esfuerzo acostumbrarse, pero fue lo mejor que pudimos hacer. Y aprendí algo nuevo respecto a Lori, algo que realmente admiro. Cuando tiene la razón, es una excelente negociadora. Severa, pero justa.

El asunto es que no sé qué horrores hay detrás de esa puerta. Cuando paso al lado de la puerta no huelo a humo, o a ninguna otra cosa —no escucho sonidos fuertes, excepto un poco de rock alternativo y el ocasional tono de rap. A veces golpeo en la puerta y digo: "¿Estás bien ahí dentro?" Y ella dice: "Muy bien, papá".

"Tony, gracias a ti —y a ti también, Mike— las cosas están mucho mejor en casa. Nosotros estamos felices y Lori se siente segura y confiada consultando sus problemas con mamá y conmigo cuando necesita ayuda. Y ella sabe que si no es perfecta en todo sentido, todavía la amamos incondicionalmente. Así que una vez más gracias, a ustedes dos, de parte de nosotros tres".

CAPÍTULO TRECE

LA HISTORIA DE PRODUCTIVIDAD DE CARLOS

Mejorando la línea de rentabilidad

"Fue un placer, Lloyd", dijo Tony. "Me encanta escuchar historias como la tuya. Hacen que mi trabajo realmente valga la pena.

Ahora, Carlos, ¿crees que puedes superar eso?".

Carlos sonrió. "¿Bromeas? Tendría que ir y abrazar a varios cientos de empleados. ¡Haría llorar a todos en la planta!

Bueno, de todas maneras, como dije antes, en nuestra compañía nos dedicamos a fabricar papeles especiales. Compramos grandes rollos de papel crudo, los tratamos con recubrimientos especiales y los cortamos para formar rollos más pequeños, hojas o artículos adhesivos. Probablemente hayan visto algunos de nuestros productos como etiquetas de identificación adhesivas, rótulos para correo y estampillas. En nuestra planta hay tres turnos y se trabaja durante cinco días a la semana. Nuestras ventas anuales son de más o menos $110 millones de dólares.

Pensé mucho sobre lo que aprendimos aquí hace tres meses. Después que me di cuenta de lo que estaba implicado, hubo un par de cosas que me preocuparon sobre la implementación de este enfoque. Necesitábamos contar con una masa crítica rápidamente. Se me ocurrió que si practicaba los tres factores con los miembros de mi equipo de alta gerencia, con el tiempo el efecto se vería reflejado hasta en los operarios de las máquinas cortadoras y en los encargados de los revestimientos. Por otro lado, sabía que podría lograr mi objetivo mucho más rápido si involucraba a todos desde el primer momento.

Así que le pedí a nuestro amigo Tony, aquí presente, que se pusiera en contacto con todos los que ocuparan posiciones de liderazgo —jefes de contabilidad, gerentes de ventas, líderes del área de manufactura y altos gerentes. Con algo de esfuerzo, Tony logró programar en su apretado horario algunas sesiones extra, así que dividimos al personal en dos grupos iguales, y al cabo de dos semanas habíamos terminado. Mi reporte refleja sólo los resultados de los últimos sesenta a setenta días, pero dichos resultados son bastante buenos. De hecho, son magníficos.

Nuestros altos directivos y yo hemos decidido que hay dos áreas que acelerarían el incremento de nuestras ganancias. Estas son, la fabricación y las ventas. Coincidentemente, es sobre estas áreas que tenemos la mayor cantidad de procedimientos e información disponible.

En lo que tiene que ver con la fabricación, nos concentramos en dos parámetros: la productividad de las diferentes partes del equipo y la tasa de desperdicio. Cuando los directivos del área de fabricación y yo nos reunimos para hablar sobre el enfoque, nos dimos cuenta de algo. No podíamos simplemente comenzar a sacar gráficas y decir: 'Sabemos que podemos lograr este nivel de productividad y reducir nuestra tasa de desperdicio a tal y tal nivel', luego comenzar a animar al personal y esperar que las cosas mejoraran milagrosamente. Así que, en lugar de eso, trabajamos con los líderes de equipo para crear una corta presentación sobre porqué las gráficas estaban elevándose.

Después que terminamos las sesiones de entrenamiento con ellos, programamos reuniones con los empleados en grupos más pequeños. Nuestra encuesta de opinión más reciente mostraba que no nos estábamos comunicando con todos de la manera que debíamos, y que los empleados no sentían que sus esfuerzos estuvieran siendo reconocidos. Así que, para romper el hielo, comenzábamos cada reunión con un corto tema musical con ritmo de rap que hablaba de ese tema. Luego, les comentábamos que para mejorar nuestra comunicación y el reconocimiento a su trabajo, íbamos a fijar algunas gráficas que mostrarían tanto la productividad de cada máquina —cuyo funcionamiento en muchos casos dependía de dos o tres personas— como la calidad del producto.

En realidad ya estábamos midiendo esos dos parámetros diariamente. El supervisor de turno usaba esas cifras para propósitos de control del proceso, pero no con el fin de retroalimentar, informar o motivar al personal. Los operadores sólo veían los resúmenes mensuales. Esta situación mostraba lo urgente que era mostrarles esa información, ya que uno de los factores que afecta directamente a esas cifras es el trabajo en equipo

> "El supervisor de turno usaba esas cifras para propósitos de control del proceso, pero no con el fin de retroalimentar, informar o motivar al personal".

y la comunicación entre turnos. Así que les dijimos a todos que fijaríamos gráficas cerca de cada máquina, que mostrarían la cantidad de papel que se procesaba por hora y la tasa de desperdicio. Al final, fijamos ocho gráficas por cada máquina —dos por cada turno, para mostrar la productividad y el nivel de desperdicio, y dos cuadros con el resumen de resultados de 24 horas. Eso les mostraba sus logros como equipos individuales y también como equipo global.

Les hablé de cómo el trabajo en equipo y la comunicación entre los diferentes turnos afectaban el rendimiento de todos, y de cómo las gráficas elevarían esos factores. Tanto los líderes de los equipos como los de los turnos expresaron que esto lograría fácilmente que los equipos incrementaran su productividad en un 0.5% y que a su vez redujeran el desperdicio en un 0.5% durante los siguientes tres meses. Entonces les pedimos a los equipos que le apuntaran a una meta aún más alta —un 1% de mejoría en ambos parámetros. Les dijimos: 'Ustedes son personas hábiles y experimentadas, y de hecho ya están haciendo un buen trabajo. Tenemos plena confianza en que con esta nueva forma de comunicación y un poco más de atención a los detalles, ustedes podrán alcanzar estas metas'.

Todo esto lo hicimos a través de reuniones con grupos pequeños, de seis o siete miembros de los equipos de fabricación. En este punto, las gráficas aún no mostraban los objetivos. Pero a medida que las conversaciones siguieron avanzando, los operadores concluyeron que las metas eran factibles, así que incorporaron a las gráficas un rango objetivo razonable. Otras conversaciones revelaron que ellos preferían medirse en términos negativos —desperdicio en lugar de rendimiento— porque así es como estaban acostumbrados a hacerlo.

Tony lo interrumpió: "Normalmente recomiendo que se hagan las mediciones sobre unidades positivas en vez de negativas, pero en este caso sentí que era mejor hacerlo de acuerdo con las preferencias de los operadores".

"Sí", añadió Carlos. "La gente realmente estaba empezando a comunicarse mejor, y queríamos estimular esa conducta.

Así que usamos estas reuniones para construir los tres factores. Creamos expectativas positivas, un mejorado sentido de responsabilidad con metas razonables, y establecimos un mecanismo de retroalimentación positivo. Los líderes de equipo y supervisores de turno están diciendo 'Confío en que podemos trabajar mejor de lo que ya lo estamos haciendo.'

Ahora hemos incorporado sentido de responsabilidad a cada máquina, así como la gráfica de la producción de cada turno además otra gráfica de la producción diaria que representa el trabajo en equipo entre turnos. Además, tanto los líderes de turno así como los de equipos, toman nota de cada signo de progreso y lo estimulan.

¿Cuál ha sido el resultado neto? Durante los últimos sesenta días, hemos reducido la tasa de desperdicio en un 0.75% mientras que la productividad se ha elevado en un 0.5%. Esto se traduce en utilidades anuales adicionales por USD $650.000. El trabajo en equipo ha mejorado, los niveles de motivación son más altos, y hasta mi propio estado de ánimo está mejor.

Ahora, estaríamos muy felices con este resultado por sí mismo. Pero también tenemos los de las ventas. Contamos con un departamento de ventas internas, con dos vendedores, y otro de ventas externas con nueve representantes. Los gerentes de ventas establecieron objetivos para cada vendedor. Decidimos medir el volumen de ventas, el margen bruto, y el nivel de satisfacción del cliente. Las ventas en general afectan los ingresos generales; el porcentaje de margen bruto se traduce en utilidades; y el nivel de satisfacción del cliente mide si en realidad estamos atendiendo las necesidades de nuestros clientes o simplemente los estamos empujando a comprar productos. El gerente de ventas establecía metas razonables en cada área, proporcionándole a cada representante de ventas tres gráficas personales. Además, en su oficina el gerente de ventas contaba con tres gráficas de la compañía que reflejaban el comportamiento global de los representantes de ventas.

Nuestros resultados en las ventas son, de muchas formas, más impresionantes que los obtenidos en la fabricación. Las ventas externas han aumentado en el 1%. Y, ¿qué hay de las ventas internas? Se han elevado en el 6%. Pero dado que las ventas externas provienen de una base mucho más grande, esto en realidad representa un incremento más alto en las utilidades que el de las ventas internas. Es más, las ventas externas tienen ciclos más largos, con cuentas y órdenes más grandes, y el tiempo que transcurre antes que todo nuestro esfuerzo produzca frutos es más largo. Así que un incremento del 1% en sesenta días probablemente signifique un incremento eventual del 3% al 5% por encima del que habríamos conseguido.

> "El hecho de implementar y mejorar la expectativa, la responsabilidad y la retroalimentación, le ha añadido $1.5 millones de dólares a nuestra línea de rentabilidad".

Nuestro margen neto está hasta por encima de dos décimas de porcentaje. Junto con el incremento en las ventas, eso significa alrededor de USD $820.000 en ganancias al año.

Lo anterior significa que el hecho de implementar y mejorar la expectativa, la responsabilidad y la retroalimentación —los tres factores de Tony— ha añadido $1.5 millones de dólares a nuestra línea de rentabilidad.

Nuestros activos intangibles también han aumentado. Hemos notado que tanto el trabajo en equipo entre departamentos como la comunicación, han mejorado, ésta última a todo nivel. Es decir, tanto vertical como horizontalmente. El tipo de cosas que tú has experimentado, Janet.

Desde el principio, o al menos desde que Tony comenzó a trabajar con mis ejecutivos, tuve la sensación de que al personal le iba a gustar esto. Y sucedió algo muy gracioso, aún antes de que nos pusiéramos al día. Como dije, les dimos instrucciones preliminares a los equipos de fabricación y los convertimos en uno solo. Bueno, tan pronto como este primer equipo recibió sus gráficas, algunos miembros de las otras líneas de trabajo comenzaron a preguntar: 'Oigan, ¿qué hay de nosotros? ¿Por qué no podemos también tener gráficas para mostrarle a todos lo que estamos haciendo?'

La necesidad de conocimiento, está realmente allí. Las personas desean ser responsables. Quieren saber cómo lo están haciendo, y cuando lo

> "En lo que a mí concierne, creo que se trata de una idea que vale millones, y tengo las cifras que lo demuestran".

averiguan, quieren mejorar aún más. Creemos que las expectativas positivas hacen que ese deseo se haga más y más fuerte. La responsabilidad no deja mucho margen para la pereza, pero si añadimos refuerzo positivo, nadie en absoluto quiere manifestarla.

Ahora que hemos hecho de esto parte de nuestra cultura, Tony, creo que es fenomenal. En lo que a mí concierne, creo que se trata de una idea que vale millones, y tengo las cifras que lo demuestran".

14

LA HISTORIA DEL SALÓN DE CLASES DE MIKE

Entrenando a los jovencitos para el futuro

"Mike, sólo quedas tú" dijo Tony. "¿Cómo va tu línea de ensamble? ¿Sigue arrojando más y más graduados?"

Mike sonrió. "Oye, ya sé que estás bromeando, pero puede que los demás no lo sepan. Creo que muchas escuelas son como las fábricas de Carlos. Sin ofender, Carlos, pero los chicos no son rollos de papel. No puedes simplemente hacer gráficas con promedios de calificaciones, graduaciones y resultados de pruebas de aptitud y

decir: 'Miren, somos los #1'. Debes ver a cada estudiante individualmente. Simplemente hay dos opciones: fallas o consigues el éxito, un
estudiante a la vez.

Amo lo que hago —es emocionalmente satisfactorio y no lo
cambiaría por nada. Aunque debo confesar que sería fantástico que
hubiera más padres como Lloyd que les comunicaran a los profesores cuánto aprecian su trabajo. Y supongo que debo pasar más tiempo estableciendo relaciones maestro-padres, porque los hijos de esta
asociación son los que lograrán el mayor éxito.

En fin, voy a ponerlos al día en lo relacionado con mis actividades desde la reunión. Siempre he creído que hay dos cosas que enseñamos en la escuela —habilidades académicas y habilidades sociales. Brindamos conocimiento y cómo utilizarlo, y enseñamos a los
estudiantes cómo ser buenos miembros de una sociedad civilizada.
Pienso que ambas tienen la misma importancia y no se aprenden por
accidente; deben enseñarse a través de un método y cada una apoya
a la otra. Un niño al que le va bien académicamente no será feliz si
no socializa bien. Y lo mismo sucede con aquel que es popular pero
le cuesta obtener buenas calificaciones.

> "Siempre he creído que hay
> dos cosas que enseñamos en la
> escuela: habilidades académicas y
> habilidades sociales".

Así que quería po-
ner a prueba los tres
factores insignia de
Tony en ambos cam-
pos. Quería ver si las
altas expectativas, la
responsabilidad y la
retroalimentación po-
dían marcar una diferencia significativa en lo académico y también
si podía usarlas para ayudar a los estudiantes a adaptarse mejor a
nivel social.

Escogí a mi clase de Matemáticas para este experimento académico porque el método de calificación es más objetivo que en
cualquier otra materia. Aunque damos puntos por usar el proceso
correcto, las respuestas matemáticas en sí mismas son simplemente

correctas o incorrectas. Basado solamente en esta medida académica, intentaría mejorar las calificaciones de mi clase mediante darles mucha retroalimentación positiva siempre que alguno de ellos mejorara su promedio.

Comencé contándole a la clase que quería hacer un experimento durante el período de evaluación que acababa de comenzar. Les mostré una gráfica que representaba su promedio de calificaciones basado en las que habían obtenido en los exámenes de matemáticas hasta ese momento del año. La línea mostraba algunos altibajos, pero en general, tendía a estar en la zona media. El promedio general era de 78 puntos.

Les pregunté: '¿Qué significa este número? ¿Significa que las calificaciones de todos los estudiantes han sido de 78 en todos los exámenes?' Unos segundos después, una estudiante levantó la mano y dijo que no. Explicó que significaba que las calificaciones de algunos podrían haber sido de algo más o algo menos de 78.

"'Es correcto' dije. "Es como el hecho de que algunos de nosotros somos un poco más altos que el promedio y otros más bajos, o así como algunos corremos más rápido que el promedio y otros más despacio. Ahora, el experimento que quiero hacer, es ver si podemos elevar nuestro promedio general a 81 para este período de evaluación. Eso significa que el promedio de algunos de ustedes podría estar por debajo de ese número y el de otros por encima, pero trabajando todos unidos podemos elevar el promedio general de la clase a 81. ¿Están dispuestos a realizar este experimento conmigo?'. Respondieron que sí.

Luego comenzaron a hacer todo tipo de preguntas. ¿Qué pasaría si la calificación era de más de 81? "Entonces el promedio sería de más de 81", respondí. ¿Qué pasaría si su promedio fuera de menos de 81? "En ese caso, el promedio será inferior", dije.

Preguntaron también si iba a fijar las calificaciones en algún lugar. Les dije que no. Que sólo mostraría el promedio de la clase. ¿Qué haría si alguien obtuviera una calificación de 60 en el examen de Matemáticas? "Marcaré 60 en el examen de esa persona", dije. Se quedaron en silencio pensando en ello.

Cuando se hizo evidente que no tenían más preguntas y sentían curiosidad por saber qué pasaría ahora, de pronto decidí añadir un elemento más al experimento. Se me ocurrió que estaba en desventaja por cantidad. Ellos eran veintiocho y yo, solamente uno. Para que el experimento tuviera éxito necesitaríamos mucha más retroalimentación positiva. Les pregunté: "¿Estarían dispuestos todos a hacer únicamente comentarios positivos acerca de las calificaciones de los demás? Por ejemplo, si Pam logra un 100, ustedes podrían decir algo como, "Muy buen trabajo, Pam", y si Scott obtuviera un 58, ustedes dirían, "No te preocupes, sé que lo harás mejor la próxima vez". Nunca dirían nada que pudiera desanimar a alguno de sus compañeros. Si están de acuerdo, les daré esa responsabilidad. ¿Qué les parece? ¿Están dispuestos a comprometerse a ello? Todos estuvieron de acuerdo.

Estábamos apenas comenzando el tema de los fraccionarios, y algunas veces les asigné a trabajar en grupos. Les expliqué que el objetivo de la próxima clase sería convertir fracciones en porcentajes, porcentajes en decimales y decimales nuevamente en fracciones. Como creo firmemente en el aprendizaje práctico, utilicé objetos que pudieran agarrar y sostener en sus manos para aprender. Por ejemplo, les di llaves de cubo de varios tamaños junto con tuercas y tornillos. Al experimentar con esos elementos aprenderían, por ejemplo, que 7/16 de pulgada es la medida intermedia entre 3/8 y 1/2 de pulgada. Esa es una forma mucho más práctica de aprender Matemáticas que simplemente escribir números y dibujar líneas en una pizarra.

Para las actividades en grupo, les daba un problema modelo junto con toda la información que necesitaban, les explicaba los pasos o principios implicados y los guiaba a través de un par de ejercicios de práctica. Luego los dejaba trabajar solos pero me quedaba por ahí para ver de cerca lo que hacían y poder darles retroalimentación inmediata y específica —'Eso es genial, Doug', o 'Vas muy bien, Kate'. Si veía que alguno estaba confundido o alguien decía que no entendía, le decía, 'Bueno, sólo muéstrame tu trabajo y háblame de lo que estás haciendo. Así podré entender lo que estás pensando'.

"Cuando los estudiantes trabajan en grupo, es normal que algunos entiendan las cosas más rápido que otros, o puede que incluso ya las sepan. Me he dado cuenta de que con frecuencia algunos niños hasta pueden explicar esos conceptos a otros mejor que el profesor. Estoy convencido de que, al menos la mitad de lo que los chicos aprenden en el salón de clases, lo adquieren unos de otros. Así que, en ocasiones, en vez de ayudarlos yo mismo, me dirijo hacia alguien del grupo y le digo: '¿Dave, podrías ayudarme aquí?' o '¿Quién entiende esto tan bien como para mostrarle a Carter cómo hacerlo?'.

Con algunos de ellos aprendiendo y los demás ayudando, los chicos realmente se involucraron con el proyecto. Sí, lo sé, probablemente ustedes estén pensando, 'simplemente les está enseñando a trabajar en equipo'. Es cierto. Al añadir esa última parte al experimento terminé mezclando el aprendizaje de habilidades académicas y sociales. Y esa es la esencia de lo que creo sobre el propósito de la educación. Quería que tuvieran tanto refuerzo positivo como fuera posible —no sólo de mi parte, sino de todos.

"Además, aprendieron otras cosas tan importantes como las habilidades académicas y sociales. Aprendieron que el objetivo real de todo esto no era la calificación que obtuvieran en el examen —era el entendimiento que estaban adquiriendo y las habilidades en las que ahora se estaban destacando, como parte del proceso de obtenerlas. La calificación, llega a ser simplemente una marca en el camino. Eso hace la gran diferencia, y una vez que los chicos lo entienden, aprender se vuelve mucho más interesante.

¿Cómo resultó mi experimento? No logramos obtener un puntaje de 81 —¡lo superamos! El promedio de nuestra clase fue de 83 al final del período de evaluación. Los chicos me rodearon cuando lo estaba fijando en la cartelera de boletines y gritaron emocionados — esto a pesar que ya lo sabían porque habíamos estado publicándolo todo el tiempo. Ellos estaban felices, sus padres estaban felices, y yo también lo estaba. Además, en esta ocasión muchos de los padres expresaron cosas positivas.

> "¿Cómo resultó mi experimento? No logramos obtener un puntaje de 81 puntos —¡lo superamos!"

Sucedió algo muy interesante. Cuando estábamos alrededor de la mitad del período de evaluación, invité a todos los padres a una reunión —a propósito, asistieron más de la mitad, lo que me alegró mucho—, les expliqué lo que estábamos haciendo y cómo los resultados preliminares demostraban que el elevar la expectativa, reforzar el sentido de responsabilidad y darles refuerzo positivo estaba haciendo la diferencia. Les dije que pensaba que los mismos principios funcionarían en casa. A partir de esa reunión he visto el promedio de estos estudiantes elevarse en un 2% en otras materias, lo que confirma que la sociedad maestro-padres, se está afianzando.

El otro experimento que quería realizar se centraba únicamente en las habilidades sociales. Decidí trabajar con un niño a quien le resultaba muy difícil controlar su impaciencia. Danny era un chico muy competitivo que se enojaba y se tornaba agresivo cuando no lograba tanto como sus compañeros o como él mismo esperaba. Cuando eso pasaba, interrumpía, golpeaba los muebles y creaba disturbios.

Ya había desarrollado una relación de confianza con él, así que un día le dije: 'Sabes, una cosa que percibo de ti es que cuando las cosas no te resultan bien desde el principio, o cuando sientes que no lo estás haciendo bien, te sientes muy frustrado. Y la razón por la que he llegado a esa conclusión, es porque a veces te veo rompiendo tu lápiz, o empujando tu escritorio, o hablando muy fuerte y diciendo cosas realmente inapropiadas o poco amables. ¿Eres consciente de que te pasa eso?'.

El bajó la mirada fijándola en su escritorio y respondió con un tono de voz muy baja, 'Sí.'

Evité preguntarle por qué hacía esas cosas. Mi objetivo era lograr que él identificara por sí mismo lo que pensaba o sentía cuando actuaba de esa manera. Pensé que si él lograba entenderlo, entonces podría empezar a hacer cambios conscientes y a elegiría mejores opciones de comportamiento.

En mi experiencia, los niños son inquietos porque se sienten inseguros de sí mismos. Se trata de una estrategia para hacer frente a esa situación. Una cortina de humo. Si pueden lograr llamar la atención de las personas hacia lo que están haciendo, como pinchar el ojo de alguien con un lápiz, entonces estarán desviando la atención de lo que sienten, lo cual, por lo general, es mucho más aterrador. Quizás no se sientan valorados o amados, o estén pasando por un momento difícil de su aprendizaje y se sientan tontos porque otros niños parecen ser más listos.

Le dije a Danny: 'Sé que si trabajamos juntos en esto, lograrás controlar tu comportamiento. Quizá puedas reemplazarlo con otra actitud que sea mejor para ti. ¿Quieres que te ayude a intentarlo?'.

Nuevamente dijo, 'Sí.'

Entonces le pregunté: '¿Notas alguna señal de alerta cuando te pasa eso, como sentirte más y más frustrado porque hay algo que no entiendes?, o ¿simplemente te ocurre sin previo aviso?'

Él preguntó, '¿De qué estás hablando?'.

'"Como cuando sientes que tu estómago se pone tenso o duele, o notas que estás apretando los dientes o los puños. Esas son señales. Indican que estás empezando a sentirte ansioso, Si puedes detectar las señales puedes detenerte y decirte a ti mismo: "Necesito ver qué está pasando". Eso te ayudará a tomar el control de lo que estás sintiendo"'.

Danny no se mostraba muy seguro, así que le pedí que prestara atención a su comportamiento durante los próximos días y, si sentía que iba a tener uno de esos estallidos, analizara lo que sentía en ese momento. Le dije que no estaba molesto con él, pero que me preocupaba, porque veía que no se sentía bien, y esto podía ayudarle a sentirse mejor. También mencioné que ver su comportamiento me había impulsado a sentarme y hablar con él sobre mejorar y aprender a manejarlo mejor.

Danny es un niño muy inteligente. Entendió enseguida a lo que me refería y pronto aprendió a detectar las señales de alerta. Así que desarrolló una manera de manejar sus frustraciones. Si le ocurría estando en el salón de clases, tomaba aire profundamente unas cuatro o cinco veces. Si se ponía realmente tenso, iba por un vaso con agua, o —dependiendo de lo que estuviéramos haciendo en clase— sólo iba a la parte de atrás del salón y trabajaba en algo diferente por un momento. Si sentía que tenía que salir del salón me miraba y halaba de su oreja o simplemente pedía permiso para ir al baño.

Si yo notaba que se estaba poniendo tenso sin darse cuenta de ello, lo miraba fijamente y halaba mi oreja como señal de que debía tomar un descanso, o si estaba trabajando en grupo, me acercaba y le daba un par de palmaditas en el hombro.

El chico era muy competitivo en los deportes, y agredía verbal o físicamente a cualquiera que se le pusiera en el camino en el campo de juego. Hablamos de ello y decidió que aprendería a apartarse de esas situaciones tanto mental como físicamente. Comenzaría por contar hasta tres y retroceder tres pasos. Si después de eso aún se sentía ansioso, contaría hasta cinco, o hasta siete, o hasta diez. Después de eso dejaría de contar y vendría a verme.

Una vez me dijo: 'Es como ver una señal de detenerse en la carretera, ¿verdad?' Eso me dio una idea. Tomamos una cámara digital, salimos a la esquina de la escuela y tomé una foto de él sosteniendo la mano en alto en señal de DETÉNGASE y con la señal de PARE justo detrás.

Imprimimos varias copias y las laminamos en tarjetas. Puso una en su escritorio, llevó una a su casa y mantenía otra en su bolsillo. Cuando comenzaba a sentirse agitado, sacaba la tarjeta y la miraba. A veces eso bastaba para detener el proceso antes de que la tensión avanzara.

Un día le pedí que hiciera un pequeño cuadro y una gráfica de cuántas veces al día estaba poniéndose ansioso. Esto despertó su curiosidad, y poco tiempo después estaba haciéndose responsable de su propio comportamiento y se daba a sí mismo retroalimentación cuando podía controlar el problema. Si la gráfica de control de su comportamiento revelaba que había retrocedido, yo le aseguraba que estaba complacido de ver que llevaba un registro honesto, y que sabía que se recuperaría pronto.

En pocas semanas, bajó de cinco o seis episodios de frustración al día a tan sólo uno o dos por semana. Fue un progreso espectacular. Considero este experimento como un enorme logro. La verdad es que esto envuelve hacer muchas de las cosas que ya estaba haciendo, pero de una forma mucho más sistemática. Así que, esto es lo que aprendí de uno de los resultados de este experimento: a aplicación fortuita de los tres factores produce resultados fortuitos, mientras que la aplicación sistemática de los mismos produce resultados substanciales".

> "La aplicación fortuita de los tres factores produce resultados fortuitos, mientras que la aplicación sistemática de los mismos produce resultados substanciales".

CAPÍTULO QUINCE

UN COMPROMISO PERSONAL

¿Hará usted la diferencia?

"Todos han hecho un muy buen trabajo", dijo Tony. "Estoy muy complacido de ver lo que han logrado, y ustedes deben de estarlo también. Han hecho una de tres cosas —han logrado tener éxito con su proyecto más o menos de la forma como lo tenían en mente, triunfaron de una forma que no se lo esperaban —dijo sonriendo a Lloyd— "o", —dijo mientras asentía mirando a Mary— lo hicieron tomando acción de la forma apropiada.

Esto nos lleva al final del programa. He aventado tantas semillas como he podido, enseñándoles lo que sé. Lo que no he hecho aún es responder sus preguntas, comentar sobre sus observaciones y escuchar sus confesiones. Siempre me parece útil hacerlo, y cada vez encuentro algo nuevo que puedo contarle al siguiente grupo. ¿Alguien tiene algo que compartir con el resto de nosotros?"

"En realidad", dijo Mike, "hay algo que quisiera añadir a mi historia. También soy profesor de piano, y he estado usando estas ideas en esa área también. Siempre les he fijado metas a los estudiantes. Pero en el pasado se trataba de metas de un único objetivo. Ahora mis estudiantes y yo fijamos juntos metas razonables y eso está haciendo una gran diferencia. Por ejemplo, le digo a un estudiante, 'Intentemos tocar esta parte de la pieza sin equivocarnos en ninguna nota. Sé que puedes hacerlo porque has estado practicando y noto que estás mejorando. Pero, hay algo más que quiero que tratemos de hacer. Algo que es un poco más difícil. Cada vez que la toques, imprímele un poco más de expresión. Más sentimiento. Una vez que hayas memorizado todas las notas, empieza a pensar en cómo te hacen sentir. En cómo se siente la música cada vez que la tocas'.

Esto funciona muy bien, por dos razones. Primero, es una meta doble —lograr el hecho de tocar la pieza con la técnica correcta, lo cual es relativamente fácil, y jugar con la emoción, que es lo que conduce a la verdadera maestría, pero es más difícil. Segundo, funciona porque una vez que aprenden a hacerlo correctamente, nota por nota, dejan de ponerse nerviosos y comienzan a escuchar lo que están tocando. En otras palabras, sus expectativas se elevan y se vuelven más confiados, más abiertos a la idea de interpretar la música y tocarla de forma artística. Esto es muy importante —en realidad lo más importante— para un músico.

También he estado pensando más acerca de la clase de retroalimentación que doy. El piano, es principalmente un medio auditivo, pero el enseñar a tocarlo también involucra interacción visual y kinestésica. Los pianistas necesitan colocar sus manos en cierta posición para poder tocar con fuerza y precisión. Los estudiantes pueden aprender cómo hacerlo mediante el tacto, pero a veces también les ayuda el poder verlo. Así que estoy probando una nueva forma de estímulo, enfocado hacia el desarrollo.

Simplemente filmo sus manos por algunos minutos. Luego vemos juntos la grabación en video. Los estimulo muchísimo cuando sus manos están en la posición correcta. Los dedos sobre las teclas y las muñecas rectas en vez de inclinadas. Eso les permite conectar lo que ven con cómo se siente. A aquellos que no logran entender eso rápidamente, les digo: 'Mira cómo tus manos están en la posición correcta aquí, aquí, aquí y aquí. ¿Cuál crees que sea la mejor forma de lograr que tus manos estén siempre en esa posición? Ambos sabemos que puedes hacerlo, porque te vemos haciéndolo aquí. Todo lo que necesitamos hacer es encontrar la forma de que lo hagas todo el tiempo. ¿Qué piensas? ¿Cuál es la mejor forma de llegar a eso?' Así, estoy usando tanto estímulo motivacional como estímulo orientado al desarrollo en este campo, y los chicos están aprendiendo más rápido. También se sienten más felices".

"Buenos ejemplos, Mike", dijo Tony. "Voy a poner lo que acabas de contarnos en mis archivos sobre enseñanza. Tengo un buen número de profesores de música en mi clase, y esto de seguro les ayudará. ¿Sí, Carlos? Cuéntanos".

"Tengo una historia para el grupo y una pregunta para Tony", dijo Carlos. "Tony les mencionó antes que soy entrenador de fútbol juvenil. Como pueden imaginar, mi estilo de entrenamiento se caracterizaba más por el énfasis en la responsabilidad que en la expectativa y el refuerzo positivo. No voy a entrar en detalles, pero básicamente estaba entrenando más de la forma como había aprendido cuando era joven, que de la manera en que el equipo lo necesitaba para desarrollarse. Pero, después de nuestra primera sesión aquí, comencé a prestar más atención a la expectativa y al refuerzo positivo. Bueno, no puedo decir que jamás volví a regañar a nadie, pero mi estilo ha cambiado considerablemente y mi rango de retroalimentación positiva con relación a la negativa ahora es de cinco a una. Algunos de los jugadores que en mi opinión eran un poco lentos realmente han mejorado. También tenía un par de chicos que eran muy buenos pero tendían a acaparar la pelota. Dejé de gritarles por eso y comencé a animarlos siempre que hacían buenos pases.

> "Estaba entrenando más de la forma como había aprendido cuando era joven, que de la manera en que el equipo lo necesitaba para desarrollarse".

"Nuestro trabajo como equipo es mucho mejor ahora, y cada jugador se involucra realmente con lo que hacemos. Están aprendiendo más, disfrutando más el juego y hasta jugando mejor, así que estamos ganando más que antes. Para los chicos, ganar es divertido, pero también deben aprender la importancia de trabajar en equipo, de practicar y de adquirir habilidades deportivas y éticas.

Nuestra compañía realiza actividades que involucran a la comunidad, así que decidí convertir nuestro programa de deportes juvenil en el programa de participación con la comunidad para este año.

Invitamos a Tony para que nos diera una charla, que fue patrocinada por la cámara de comercio y financiada por nosotros. Invitamos a los directores comerciales, a todos los entrenadores —de fútbol, básquetbol, fútbol americano, etcétera— junto con padres y educadores.

La respuesta ha sido fantástica. Nos hemos comprometido a sacar a relucir lo mejor de nuestra comunidad. ¡Imagínense! Chicos rodeados por sus profesores, padres, mentores y entrenadores. Todos demostrando que creemos en ellos, que los vemos responsables por sus acciones y que queremos darles estímulo. Todos trabajando en organizaciones que han abrazado las tres claves que convierten a cada persona en alguien más productivo.

Esta es una tarea enorme y nada fácil. Como Tony lo dijo, la parte más difícil de todo esto es cambiar nuestro propio comportamiento. Pero la recompensa de seguro vale la pena. Las conexiones que hay entre la familia, las instituciones educativas y los negocios están ahora más claras en mi mente".

Carlos continuó: "En fin, esa es mi historia de éxito, y es una historia de la que me siento muy feliz. Pero en la compañía aún tengo un par de personas problemáticas. Así que, mi pregunta para Tony es: ¿qué se debe hacer cuando a pesar de que uno utilice todas estas técnicas alguien todavía no se desempeña como debería? ¿Simplemente hay que despedirlo, como lo hizo Mary? Y, si así es, ¿cómo encaja eso en el enfoque positivo que defendemos?".

"Lo que hemos estado analizando aquí", respondió Tony, "son maneras de sacar a relucir lo mejor de las personas. Pero a pesar de que hagamos todo lo posible, hay personas que no ofrecen lo mejor de sí mismas, o simplemente no están capacitadas para hacer el trabajo. A veces lo mejor que se puede hacer por ellos es darles la oportunidad de triunfar en otra parte. Y quizá eso sea lo mejor para la organización también. Esa es una decisión que uno debe tomar de forma ecuánime. Debemos darle a la persona el apoyo adecuado para que se vaya y encuentre algo en otro lugar.

Lo mismo aplica para tus actividades con la comunidad. Siempre habrá entrenadores juveniles que piensen que su tarea es gritarles a los niños que no hacen las cosas como deberían. Siempre habrá padres que se rehúsen a dejar que sus hijos se responsabilicen de sus acciones. Siempre habrá personas que esperen lo peor, eviten las responsabilidades y refrenen el estímulo. No tengo una varita mágica para arreglar a ese segmento de la población. Así que, sólo trabajamos con aquellos que entienden cual es la manera correcta de tratar a los niños, tratamos de atraer a los que nos rodean y evitamos que el resto haga más daño".

Mary dijo: "Me resulta muy interesante que seas entrenador de fútbol, Carlos. Mi esposo entrena a un equipo de béisbol en las ligas menores. Después de que me ayudó con nuestra dramatización, empezó a pensar

> "Siempre habrá personas que esperen lo peor, eviten las responsabilidades y refrenen el estímulo".

en su equipo y en cómo estas ideas podrían ayudarles. Leyó mis notas y me hizo preguntas sobre esta clase. Admitió que posiblemente estaba siendo un poco duro con los niños —demasiado crítico, como dijiste. Pero cambió a simplemente reforzar lo que estaban haciendo bien, no de forma general sino específica —resaltando cómo un jugador estaba sosteniendo el bate correctamente, cómo otro estaba mejorando su batear, o lo bien que un jugador de tercera base había lanzado la pelota. En lugar de continuar hablando de lo lentos que eran para aprender, les dijo que se estaban convirtiendo en un buen equipo. Han ganado tres de los cuatro últimos partidos, y lo más importante es que los niños están más animados y se divierten más. Ahora cree en esto —así que lo verás aquí el próximo mes. Decidió que quiere aprenderlo de primera mano y se inscribió".

"¡Magnífico!" dijo Tony. "Me encanta tener referidos, pero dos participantes de la misma familia es un bono extra. Siempre que no se trate de nepotismo, claro". Esto generó una risa general.

Lloyd dijo: "Mary, puede que mi experiencia extracurricular te interese. Estaba tan satisfecho de que las cosas estuvieran funcionando tan bien con Lori que decidí tratar de hacer algo en la compañía de distribución en la que trabajo. Nos gusta que cuando un cliente llama para ordenar algo, nuestro personal de ventas le sugiera alguna compra adicional. Pero, con frecuencia olvidan hacerlo, así que esta política se cumple sólo en parte. Conversé con las tres personas de ese departamento. Decidimos fijar una gráfica que mostrara el promedio de productos por orden, hora por hora y día por día. Eran muy parecidas a las que tú fijaste, Carlos. Los integrantes del equipo hacían el cálculo y fijaban la gráfica por turnos. Cada vez que aumentaban, yo reforzaba su progreso. En las últimas tres semanas, nuestro promedio ha subido de seis a once productos. Nada mal, ¿verdad?"

"Es lo que logra la retroalimentación", dijo Tony. "Ni siquiera te cobraré doble por usarla en el trabajo, Lloyd".

"Te lo agradezco", agregó Lloyd, sonriendo.

"Bueno, yo tengo una pregunta y un relato adicional", dijo Janet. "Para empezar, la razón por la que estoy aquí es que tres de mis colegas del hospital en Libertyville, asistieron a este programa hace como seis o siete meses y sugirieron que yo disfrutaría de hacerlo también. Poco después de nuestra primera sesión hace tres meses, les escribí un correo electrónico para contarles cuánto apreciaba que me lo hubieran recomendado. Hace pocos días hablé con una de ellas y me contó algo muy interesante. La rotación de personal combinando las tres áreas en las que trabajan se encuentra un 15% en desventaja comparado con los demás departamentos, y eso ha sido así durante los últimos seis meses. Pero ninguna de ellas había anticipado esto. ¿Algún comentario sobre eso?".

Tony sonrió. "Claro, es algo que sucede todo el tiempo. Hace alrededor de un año tuvimos una compañía aquí —producían quizás $700 millones de

> "Dado que la rotación de personal no figura en el estado de ganancias y pérdidas, frecuentemente se le pasa por alto como gasto".

dólares en ventas pero la rotación de empleados estaba costándoles $12 millones al año. Dado que este movimiento o rotación de personal no figura en el estado de ganancias y pérdidas, frecuentemente se le pasa por alto como gasto. Pero cuando se entra al proceso de hacer, aún un cálculo superficial de los costos de entrenamiento, el tiempo invertido en conseguir a alguien más, la productividad, y otros aspectos, uno descubre que puede llegar a ser un gasto enorme. No estoy diciendo que haya que eliminar la rotación de personal, porque usualmente hay algunas personas que deberían irse, y ocasionalmente hay empleados cuyo cónyuge recibe una propuesta de empleo en otro lugar, la cual no puede rechazar. Pero la mayoría de organizaciones tienen un nivel de rotación de personal más alto del necesario.

Como sea, la mayor parte del equipo de directivos de esta compañía asistió a varias sesiones y surgió el tema de la rotación de personal. Estaban haciendo entrevistas a los que abandonaban la compañía, preguntándoles la razón de su renuncia y recibían las respuestas habituales —mejor pago, mejor empleo, etcétera. Les sugerí que les hicieran una pregunta diferente: '¿Cuándo fue la primera vez que pensó en abandonar la compañía?' Entonces comenzaron a recibir respuestas como que no se sentían apreciados o que sentían que sus contribuciones no eran reconocidas.

En conclusión, aunque sus objetivos se enfocaban en otros temas, al usar los tres factores terminaron reduciendo en un 10% el movimiento de personal, lo que significa que añadieron $1.2 millones de dólares a la línea de rentabilidad.

Pocas personas eligen como proyecto el reducir la rotación de empleados, pero hemos notado frecuentemente que esta se reduce como resultado de poner en práctica los tres factores.

Siempre que hemos realizado un estudio o analizado alguno de los miles de estudios que se han hecho sobre qué piensan las personas que es importante en un empleo, encontramos que el 'reconocimiento al trabajo bien hecho' siempre está cerca del primer lugar e incluso antes del factor monetario. Piénselo. ¿Dónde preferiría usted trabajar? ¿En un lugar donde creyeran en usted y en su habilidad para lograr alcanzar el éxito? ¿Donde le dieran una idea de lo que esperan de usted y luego le permitieran hacerlo por su propia cuenta y donde le hicieran saber que sus esfuerzos son apreciados? ¿O en un lugar con pocos o ninguno de estos atributos?"

"Vaya", dijo Janet "Dicho de esa forma se entiende muy claramente. Genial. Ahora mi historia adicional. Pertenezco a un comité escolar, y últimamente he estado tratando de hacer una diferencia simplemente mediante hacer preguntas del tipo informativo 'qué' y 'cómo'. En el pasado, cuando las personas se lamentaban y decían que no podíamos hacer nada para solucionar algún problema, yo les preguntaba '¿por qué?' Entonces ellos procedían a darme diez razones sobre por qué no, y así pasábamos el resto de la reunión discutiendo sobre el tema sin resolver nunca nada. Sin embargo, la semana pasada surgió el tema de un proyecto que involucraba a padres y maestros. Un miembro del comité dijo inmediatamente que no deberíamos molestarnos en intentar adelantarlos, 'porque es muy difícil lograr que los padres participen.' Simplemente respondí, 'Es cierto. Lo es. Pero este proyecto podría ser muy útil. Así que, ¿Qué podemos hacer para estimular su participación?' Eso cambió totalmente el tono de la conversación. En vez de discutir sobre si deberíamos emprender el proyecto o no, terminamos hablando sobre maneras en las que se podría incrementar el interés y la participación de los padres en la educación de sus hijos. Cada vea que encontrábamos un obstáculo restablecíamos la expectativa positiva mediante las preguntas 'qué' y 'cómo'. Puedo decir, sinceramente, que fue una de las reuniones más productivas que el comité haya tenido".

"Hay un par de cosas que me intrigan" dijo Carlos. "Primero, comencé este programa pensando que al ponerlo en práctica tendría muchas cosas más que hacer. Pero en realidad no añadí ninguna actividad a mi trabajo habitual. Simplemente encontré una manera mejor de hacerlo. Segundo, todos nosotros parecemos haber integrado esto a otros aspectos de nuestra vida".

"Tienes razón en ambas cosas", dijo Tony. "A medida que usamos más las expectativas, la responsabilidad y la retroalimentación, estas se van convirtiendo en

> "En realidad no añadí ninguna actividad a mi trabajo habitual. Simplemente encontré una manera mejor de hacerlo".

nuestra forma natural de hacer las cosas. Por eso, no es sorpresivo que al final estas se integren a otras actividades, convirtiéndose en nuestra segunda naturaleza. Estos tres factores abarcan todos los ámbitos de nuestra vida.

Todos los beneficios se multiplican. Tomemos, por ejemplo a los chicos de la clase de Mike. Supongamos que cada año uno de ellos decida convertirse en maestro y lleve estos beneficios a otros veintiocho jovencitos cada año por espacio de treinta años más. Y, ustedes saben que esto también afectará a los padres de esos chicos. Si emprendes ese proyecto, no sabes exactamente qué conseguirás, pero será algo enorme.

Ahora, mientras reflexionan en el enorme poder que tienen en sus manos, presentarán su prueba final. Los sorprendí, ¿verdad? No se preocupen. Sólo consta de cuatro puntos, y tienen cuatro minutos para pensar en tantas respuestas como puedan". Tony caminó hacia el tablero que estaba en la parte de atrás del salón y removiendo lo que lo cubría reveló cuatro frases que había escrito allí:

1. Mencione a los tres últimos ganadores del trofeo Heisman.

2. Mencione a tres personas que hayan ganado un premio Nobel.

3. Mencione a tres personas para quienes haya trabajado o que hayan sido sus superiores y que le entrenaron de alguna forma memorable.

4. Mencione a tres profesores que hayan producido un profundo efecto en su vida.

Tony esperó por cuatro minutos y luego dijo, "Muy bien, pueden soltar sus lápices.

Ahora, no me interesan los nombres, pero quiero que indiquen cuántos nombres escribieron por cada punto. ¿Primer punto?"

Mike levantó dos dedos; Mary, Lloyd y Carlos, uno cada uno; Janet, ninguno. Tony se volvió hacia el tablero y garabateó el número "5" frente al primer punto.

"¿Segundo punto?" Hizo la cuenta. "¿Seis? ¿Eso es todo?" Escribió "6" en el tablero.

"Bien. Tercer punto. ¿A cuántos mentores recordaron? Muy bien —tres por persona. Sí, Janet y Carlos, veo que están levantando seis o siete dedos cada uno, pero eso no cuenta". Tony escribió "15" frente al tercer punto.

"Excelente, ¿Cuántos profesores? Siete, diez, ocho, cinco, diez —Mike, no es necesario que te quites los zapatos". Se volvió y escribió "15" frente al cuarto punto.

"Este es el tipo de respuesta que obtengo todo el tiempo. Bastante reveladora, ¿no creen?

Cada uno de los nombres que escribieron para los puntos tres y cuatro representa a alguien que hizo una diferencia en su vida, alguien que sacó a relucir lo mejor de ustedes. Y durante los últimos noventa días, cada uno de ustedes ha hecho la diferencia para una o más personas: aquellas a quienes eligieron para sus proyectos, y otras que ustedes añadieron por sí mismos.

"Pero esto es sólo el comienzo. Tienen el poder de hacer la diferencia en las vidas de las personas a las que tocan. Tienen la opción de hacerlo. Quiero que

> "Tienen el poder de hacer la diferencia en las vidas de las personas a las que tocan".

elijan la opción de hacer la diferencia. Esa es la verdadera prueba, no los cuatro puntos que respondieron hace un momento.

Dentro de uno o varios años, cuando guíe a otras cinco personas a través de este proceso, deseo ver que sus nombres aparezcan en este cuestionario".

LA CAJA DE
HERRAMIENTAS
DEL LÍDER

Cómo llevar las lecciones a la práctica

Este kit de herramientas está diseñado para ayudarle a poner en práctica lo que ha aprendido. Simplemente mediante recordar las claves —creer en la otra persona, hacerla responsable de sus acciones y proveerle retroalimentación positiva, usted verá una gran diferencia en el impacto que tiene en las demás personas y en cómo ellas reaccionan.

Educadores, padres y entrenadores

Si usted es un educador en busca de maneras de mejorar el desempeño de su salón de clases, podría pensar en las preguntas y responderlas por sí mismo, o discutirlas en grupo con otros maestros. Tanto padres como profesores pueden usar el PTA/PTO como medio para abrir grupos de discusión, o como un proyecto que combine aprendizaje y recaudo de fondos. Los entrenadores pueden contactar a la National Alliance for Youth Sports in West Palm Beach, Florida, para tener acceso a material de apoyo adicional sobre entrenamiento.

Mejorar el rendimiento de la compañía

Si usted es parte de una organización, puede usar el libro como parte de algún programa de aprendizaje, quizá durante la hora del almuerzo, en el que se analice en pequeños grupos como mejorar como equipo. También puede usar el libro como complemento de un programa de entrenamiento más extenso. A continuación verá algunas pautas para hacerlo.

Pautas para dirigir un grupo de conversación

Prepárese para la conversación

Los grupos de conversación funcionan mucho mejor cuando se trata de grupos pequeños, de cinco a ocho individuos. Si va a trabajar con un auditorio más grande, pida a las personas que se reúnan en grupos pequeños, comenten y graben sus ideas, y luego reúnanse de nuevo para sacar conclusiones. Organizar los asientos en forma circular promueve la interacción.

Prepare una lista de preguntas. Escriba dos o tres preguntas en un papelógrafo para considerarlas durante la charla. Use las preguntas de la lista para generar otras. Imprima en letra grande. El propósito de mostrar las preguntas es mantener al grupo concentrado en el tema, de la misma forma como haría usando un programa o agenda de la reunión.

Comparta las preguntas con los participantes antes de la charla. Esto les dará la oportunidad de reflexionar y les permitirá referirse a secciones particulares del libro. Puede invitarlos a añadir otras preguntas a la lista.

Dirija la reunión

Fije las preguntas de forma que todos los participantes puedan verlas.

Plantee una pregunta a la vez. Después de que la conversación esté en marcha, trate de tomar asiento en la parte de atrás. Dele al grupo el control de la charla. Evite repetir las preguntas, a menos que el grupo se salga del tema. Sólo en ese caso, vuelva a referirse a la pregunta planteada. Si las personas no están comunicándose lo suficiente, puede animarlos a participar mediante llamarlos por su nombre y preguntarles individualmente "¿Qué piensas sobre esto?". Escriba todas las ideas que sugieran.

Resuma conceptos. Antes de continuar con la siguiente pregunta, haga un breve resumen de los puntos principales que se hayan considerado. Haga referencia a los puntos de los que tomó nota.

Preguntas para considerar en una charla

Los siguientes son ejemplos de los tipos de preguntas que ayudan a que la conversación continúe de forma fluida. Esta lista no está diseñada para seguirse al pie de la letra. Las preguntas deben ser adaptadas a su situación particular y usted puede añadir las suyas propias.

Primer factor: expectativas positivas

¿De qué formas conscientes comunica usted expectativas positivas o negativas? Considere el tono de voz y las palabras exactas que usa, así como el contexto y lo que comunica de forma no verbal.

¿De qué formas inconscientes comunica usted expectativas positivas o negativas?

¿Qué expectativas, positivas o negativas, tienen los diferentes departamentos o gerencias unos de otros? ¿Cómo se pueden aumentar o reducir?

Si pudiera comenzar hoy a hacer algo que generara más expectativas positivas para alguien, ¿qué sería?

¿Ha considerado la posibilidad de que las expectativas que tiene de alguien más, aunque no sean negativas pueden ser muy bajas en comparación con lo que esa persona puede lograr?

Segundo factor: Responsabilidad

Comencemos con un asunto fundamental: ¿Siente usted que puede cumplir con sus responsabilidades? ¿Cumple usted sus promesas? Si puede responder "¡Por supuesto!" entonces comience a hacerse responsable de los compromisos que adquiere.

¿Qué hay de las metas que se fija con otras personas? ¿Son demasiado altas? ¿Demasiado bajas?

¿Está estableciendo metas razonables para estimular la motivación y el compromiso?

¿Hay alguien responsable de ejecutar algunos pasos que aseguren el logro de la meta?

¿Está practicando los principios de apoyo asociados con el concepto de estrés gradiente?

Tercer factor: Retroalimentación

¿Brinda usted retroalimentación de forma oportuna?

¿Refuerza el progreso? En serio, ¿lo hace tan frecuentemente como debería?

¿Comienza con refuerzo continuo seguido de refuerzo intermitente?

¿Sigue usted los cinco pasos para hacer frente a la falta de compromiso de forma amigable?

¿Usa usted preguntas del tipo informativo 'qué' y 'cómo' orientadas hacia el futuro?

UNAS PALABRAS SOBRE TOM CONNELLAN

Cuando compañías como Marriot, Dell y GE quieren elevar su desempeño, acuden a un hombre —Tom Connellan. Y lo hacen con buena razón. Es un hombre sólido que cada año, eleva el nivel de reuniones y conferencias.

Como ex miembro del Michigan Business School y orador invitado sobre liderazgo de la Air Force Academy, Tom añade profundidad y contenido a las conferencias. Debido a que es fundador de una compañía y ha ocupado el puesto de director general, conoce de primera mano lo que se necesita para hacer crecer un negocio. Tom inició una compañía en el campo del cuidado de la salud y la convirtió en una red de 1.200 instructores que prestan sus servicios a 300 hospitales y a la mayor parte de las 500 mayores empresas estadounidenses según la revista *Fortune*. Ha trabajado en las áreas de fabricación y ventas y sabe lo que es estar en la línea de fuego de los negocios porque ha estado ahí.

Ocho de sus libros se han convertido en bestsellers y ha escrito numerosos artículos. Ha sido director de cuatro revistas sobre gerencia y personal, y ha ocupado los puestos de supervisor de primer nivel y presidente de una compañía. Sus presentaciones se caracterizan por su sólido contenido y un estilo magistral en su alocución. Sabe cómo atrapar la atención de su audiencia y lo hace de principio a fin.

Se ha comprobado que sus técnicas para añadir del 10% a 20% de desempeño han funcionado en compañía tras compañía. Cuando la sesión con Tom finaliza, cada participante sale con ideas prácticas sobre cómo comenzar a utilizar dichas técnicas al día siguiente.

AGRADECIMIENTOS

Esta es la página en la que tengo la oportunidad de expresar mi agradecimiento a todos aquellos que contribuyeron a escribir este libro. ¿Por dónde empiezo?

Gracias a Gary Procter, Pat Antonopoulos, Cindy Connellan, Elyse Kemmerer, Rob Weil, Pam Dodd, Toni Crabtree, Avis Fliszar, Miriam Bass, Cynthia Robbins, Pat Warner, Brian Harris, Richard Galiette, Nancy Bell, Gary Beckner, Fred Engh, y Bobbie Jo Sims, quienes contribuyeron mediante leer el borrador inicial del manuscrito. La retroalimentación más fuerte que recibí provino de mis socios comerciales Ron Zemke y Chip Bell, quienes con entusiasmo —y cariño— lo hicieron trizas y me dieron amplias sugerencias sobre cómo volver a armarlo. Gracias también a ellos.

A Dawn Lipori, y Kathy Ferante quienes transmitieron energía al libro. A Bob Lowler, Fred Appleyard, Jay Tissot, y Dewey Henry por el ánimo que me dieron desde el principio. A mi directora de programa Karen Revill, quien mantuvo la oficina funcionando a la perfección para que yo pudiera concentrarme en la tarea de terminar este libro. A Peppy Dodd, quien me ayudó mediante sus observaciones agudas durante cada etapa del manuscrito. A Helmy y Smokey, quienes soportaron mis etapas de distracción y me dieron una entusiasta bienvenida cuando regresé al mundo exterior. Gracias especiales a mi amigo y colega Herb Cohen, quien me introdujo a las características de desempeño de los recién nacidos.

Gracias al equipo de producción y diseño de Ray Bard y a Gary Hespenheide quienes trabajaron estupendamente en ello. Gracias a mi editor y diseñador de texto, Jeff Morris, quien continuamente encontró en mí palabras de cuya existencia yo no sabía.

Y, finalmente, gracias especiales a mi amada esposa Pam Dodd, quién no solamente me animó durante cada paso del proceso, sino también soportó la intensa dedicación que requirió terminar de escribir este libro, así como la alarma del despertador sonando a las 5:30 a.m., en las "mañanas de escritura".